WORD SEARCH
FOR KIDS 9-12

BLUE WAVE PRESS

Animals

```
U O C F N T M L L K U K A B Q S P B Z E
L G F A R N L B W V J N W B H K O P I X
B J A U M F N M P S X P J N Z B E C N K
O O N Q M E F R B Q B M I T C C A K X X
R J R H N Y L S Y H A U B A R X T Q Q B
N E G K M E Y Q V N L X T R V I X A W R
U Q E J O C H E A A D W Q A S W I V A R
E S D D H X T T L Y B L K N V I B M N L
N B E A R I E A B A G G D T L A K O J I
I U I V S E N S P C V W W U K O I W X O
R U W H O D X I A R F J P L Z P Y R G N
E T F P A X D Q E P Y T J A R O N T A L
V M C N I M M I L T W F Y O L T W R C B
L U Z Q E N S C F D W T C X Y M B S M C
O V K B D N A T O O M S D X U E V A Q Q
W W K N P X D C E Z L W X D Z Y A N G S
U I E L G A E B I R J K X C R G V Z R V
W A L R U S D D A L Q C H I A V I Q H N
P P D J E G P E U B E V U V T I B B A R
T S I F A L X C R J P P D B O H Y V G L
```

BEAR	HAMSTER	TARANTULA
BOBCAT	LION	WALRUS
CAMEL	MANATEE	WOLVERINE
DEER	PELICAN	ZEBRA
EAGLE	RABBIT	
FLEA	SCORPION	

Arts

```
W E R V K E Z S N Z S R M P J A E V V K
T W T M O S A I C G G R A P H I C C C Z
R J F T Y S B M N P B U Q B E S S O W O
M P D H E C Y C Y A A G Q R H D C L T U
O N O F O L A H B C V L E J E Q I O C K
H W Z N G F A G E O H Q F Z F N M R S H
F D B G V X N P H T X I H S F C A I H Z
F J F B Y I N M P A U H Q L S I R N T F
B L R F T N L S E P R Z O G A B E G F W
F L O N Q O O F V P C F Q R J R C C B H
Q U I G I K E Y P I X Q T M E U C R U R
W A D R O K H M A R N I D Q P S N U B V
P I J H G S C O Y R S Q L Y C H H R Q K
G C F K E A D D R T C V W Z N G I S E D
J P C L Z S S F I I P Y A H K B X U T P
Y Q Q A T G A C A Y G F R Z V N Z G N S
N V C F A D A U V C O A D H M I D H H E
S M A E J M V S W A M P M D W B T A C J
W R W E P H L F V H K P A I K H D R V F
C S U I X N O O T R A C I T X E B I J N
```

ARTISTIC   COLORING   DRAW   ORIGAMI

BRUSH   CRAFTS   GRAPHIC   PAINTING

CARTOON   CRAYON   LOGO   PALETTE

CERAMICS   DESIGN   MOSAIC   SHADE

Astronomy

```
S W M E B G Y U P U Q I F T R E R K M N
V K Q G N I T O O H S S H R V C K A M T
X X J R C I U V D O O A Y Z P A V U A A
S T Z T U Q G P A U T T V Z S O T I K G
X R F B Q P Q G Q Q J E Z A A B W S L L
S S A B D L P J T F J L N N F L F E A C
X W X M E A W V J P W L C Z W N Z X S H
H E X P U Y R S D Q E I E Q W Y P L B G
B X M K R A Z K S T A T I O N N X U A Z
C G U D U W R X M P J E A P R T C L S W
T C N L K Y R P D A O C Z S R W A N C A
D A A M B K I N G M T O R T J X S O E A
X M J T K L K L O Q H T U A Y Z J I J F
R W E S F I V O Y H N A E V T B F T E E
E H H T G M N O U M N A U R E E V E P L
M E U L S V A L G O L V Y E C X R L S K
Y C Q A C Y Y S R P R M T A T E M O C M
W A E M F S S T W P Y B N R W L T F C B
C P V B C M S A E V W Q Q T P C G K R U
Q S O I C A T C W I V F H H R C L V O S
```

ASTRONAUT	GALAXY	SATELLITE
COMET	MARS	SHOOTING
CRATER	MILKY WAY	SPACE
DARK MATTER	MOON	STATION
EARTH	NASA	SYSTEM

Australia

```
X E Z H R J W P Z E T J K K S S M T X D
Q L R D B N N G V A D L V U C P A K O L
Q I I O T A B M O W X T P M N G S A K A
K D F W O P Q E L W G Y S U O U A O O A
H O H N Y P V L D R T R O C T I O I Z Y
R C E U T X E C I A K B N P D K R I D Y
F O B N S M B R L A R E Y N A P D R Z E
S R V D K K A P A K I L O B V A S V K N
O C O E P Q J Q A H A L U D R I E B O D
A B G R R M A N Y C O R A U N N X E G Y
G U P M B I G Q U B R U C R M Q D T T S
H D E Q U A Z E Y A R B S H T Y H Q F J
K N J C R K A V H H C Q B E T S U V U C
B S F O P V A X U O K L O C M R U M I C
N A O B B A R R I E R R E E F W E A J R
Y A T Q N E T B A L L D B K S H A P G I
X L K T H M I M O Z B I I U D I F H Y C
U S E U L J Z Z I V L N E R T P O E P K
V O T A Z E S R A E B A L A O K A F K E
Q Q D X K P R A A E P O F L D Z J Q V T
```

AUSTRALIA	EUCALYPTUS	PERTH
BARRIER REEF	KANGAROO	PLATYPUS
BATTLER	KOALA BEARS	SYDNEY
CRICKET	KOOKABURRA	WOMBAT
CROCODILE	NETBALL	
DOWN UNDER	OPERA HOUSE	

Authors

```
B F J T O F R H T P S H L S J E C H K P
T C J C E U O L R F L S I L P T D A N Z
V U L X E L S I Q I Z V Q B O W C F N J
I O A L T E N R O H T W A H F R K L E P
E B U X F I T Z G E R A L D E E R R Y L
R K S S L L E W E T F J S T Z T A A O R
S A T J M R W V M G U E T A X E N H C M
O S E N J R W L P Z M M O G P W Q O K Q
X M N I Z U O O K U R J K S K O B H R R
F U R K C N B R B F H V E F H Y M F M B
M G Z X D A I E P C N K R D Y L U Q O U
S Z D O M I K K D P A V F A F Y D S I O
N P N H O M K R V H B K O T G R I M M B
E S Z U D X E Q S G O R I O I Q K B I B
K M G P C M F A L Y X D A N U O H B W Z
C A F H O J Q T M D J Q Y D G F F T M B
I P M H L N W K E O Z O I U B J E F X M
D T B U Q A Y P Q O O C L Z L U M R C V
Z G I F I A P J P M L C H X I M R F H R
O U E N X J Z Z L Y U T M C N V L Y K R
```

AUSTEN   GRIMM   SHAKESPEARE

BRADBURY   HAWTHORNE   STOKER

BRONTE   HOMER   TWAIN

CARROLL   KING   WELLS

DICKENS   LONDON

FITZGERALD   MOODY

Autumn

```
O F K B X P P S L N H E H D F I H W G C
D K B Y U T E G W Q J M Y Y H S Q S A W
V T L W A Q G Z N F H S R S A E R E C I
F I X O K R E B O T C O E U X N T V O I
V Y C R O C A P P L E K Q H H H W A R O
A R H C L U B N B E V S Q P A B Z E N C
Z R A E N F O O T B A L L W L B X L Q U
Y E C R H Y R Q Z P G E E Z L D K Q G Y
R A D A W E Q C T E D P H F O R H U R P
G N L C O E G R N Z B U K M W T S L A N
Y C I S G O D O A Y P S I K E S Z F C Y
Z D I K R L V I T K G Y M L E I R S R N
R K O A P E D B L O E D H K N E U C A A
W G N M M M S U P V K P A A B A R H C F
Y G W B Z Y U X U J P U I M R L E D U A
E S E O A W B P E V Y Z E K E V R N W P
N R D X D F I K S K Q T X K X Z E P W Q
J N G X J J F A C P P U S J X Q A S M K
V I S J G M P A B E X Y A A O A T M T M
A E M V J Z T T S K L G J N M U T U A E
```

ACORN	LEAVES	RAKE
APPLE	MAZE	SCARECROW
AUTUMN	NOVEMBER	SEPTEMBER
FOOTBALL	OCTOBER	SQUASH
HALLOWEEN	ORANGE	
HARVEST	PUMPKIN	

Baseball

```
S D K I U Y C P B Y D L E I F N I K V C
P L N Y J J L N I Y G M E S M S Z S Y A
X X U H V R Y I N T X L L R K P C I R U
A J C U O N U O E Y C U Z P I H Z M L J
L N K T K M L S R Z G H U C Q P P I H H
W A L Z N D E P X G A E E L W H M B K V
D S E W H S E R E C N X Y R P X R U Y Y
R Y B Z Z V E R U I L L A B E V R U C S
O U A V A S V I L N J C O Z X F R H A J
B C L L N D P M L X T X V O P E J P R R
C E L C L T B Z L F D G B V G E U E O U
W S T W F A Y T A L B E O A D X Y C G X
L X V A C R B Z B H X X N S K K A A R U
W R N I A E R E T N A A C Z F D F D X T
V I G P T D I S S E M O I O L P S N Y L
N R W Z C T G Z A A R Q N U K K T O N H
L A V J H C O G F E B P S O C P J M V Q
X H P S E W P O V N A D G O C B X A P O
X U G Y R B B F V L B U L L P E N I J E
O U T F I E L D F Y E D S F Q G U D N P
```

BASEBALL	HOMERUN	PITCHER
BULLPEN	INFIELD	SCORE
CATCHER	KNUCKLEBALL	SLUGGER
CURVEBALL	LINEUP	UMPIRE
DIAMOND	MANAGER	
FASTBALL	OUTFIELD	

Bathroom

```
W A Z K T Y T Q B X N U H I T L U W Y V
V U K N G M O A T W R T J E P Y B N F R
Y L V Q O X A C Y K A T L Q L J M G L K
B L V M I L L W P B T I L R P R A N O G
H A H E T O J V W C O P X S J X E H S B
T E C Q T W F R P T O L H F X T R S S I
W Q K H F A A B P O X A V H C E C A H S
G V B X L F N A K A M T D U Z G G W R I
S V U M G Z Z C F P O X X O N H N N U Y
U F D F N W X J O T B S C Y D C I C B L
B W U T B H K O D W T I O A Y U V N O R
R O Z A R Z S R Y V N Y L T O B A B J N
S H O W E R K U J B S K T O B O B H U Q V
Y Y H V Y U Z B R F B E G Q E W S C D K
I A P S O C T Z U B A K N L E B E D A N
M J K V I K V B Q F H S E U U W Q L E W
S J E L C N T Z F G N T W Q Z S L Y D F
E Z J T K F K V O K J H O W I K C R A H
I H S U L F H J S S T Z O O I T R P E G
P V M B E Q D D O E M J I Z T O Z L D P
```

BATH	FLUSH	SHOWER	TOOTHBRUSH
CLOTH	RAZOR	SINK	TOWEL
COLOGNE	SHAMPOO	SOAP	WASH
FLOSS	SHAVING CREAM	TOILET	

Beach

```
S D U N E J K N H T K Y S K S O K H M P
G A Q A A V B L O X T U M Q J T O O J E
M U X A U V Y U R Z N D E Z R Z A J U M
A P U J U M M N L S Z M D Q E S M O S Q
T A O B L I A S C E Q S E B T I J M B O
C R K O E G B R F W K B J K A I O A N R
D C D P N Z E P A B G R O H W G L S B W
A E H E D E Y V Y F C S O A C K E U Q G
A R S M N E E Q Q Z H Y H N R K A Y A K
C Q I N C S M Z L C G O V A S D F P C V
T Z F P Z B J R W N J T A O R Q W D S C
C N Y Z M J S L I Q Z L C P H K Y A F F
K I L V O D C M T J F J A S X F J D L B
O Y L M V V M S G T X P T F C B O A K K
W G E H G I L Q B A K W I K I S J E N I
F X J U W E S D C N T K O A P V E Q H P
H K P S W M S A H A Z T N I S E P O Y M
K H D O F B E A C H B A L L T B H T P C
I S T H I Y P E V N S D Q A T P V D N D
P R G A M Q L S F X V F R E F U V E J U
```

BEACHBALL	SAILBOAT	TOWEL
BOARDWALK	SHARK	VACATION
BOAT	SNORKEL	WATER
DUNE	SUNSCREEN	WAVES
JELLYFISH	SWIMMING	
KAYAK	TAN	

Birds

```
P X Q U C V Z R H R W W H J S R K W A H
J J K V V A I M A L P U M A O O B M P H
D U N W O O D P E C K E R B H H D S R T
E A D L M X V P A V E U I X O P A I L S
K K L A R C B J R N A N U I H F G U B Q
R U Z N Q K T S A L F B D S C H B P T J
L F P I C C N W W Y A A L N W W F I O W
R E F D N U S Y R T S B E U C R E Q K U
I P C R E D J O I N O K Z K E P X B B A
B B F A N L O K V P C R N Y L J I O A R
D Y I C T S O J U I I L R A K I A O G O
O O R N T O L F H M C Q I A N B R Y F R
I R W E S R A C H H W V J L P I A B Y S
S I R X R O F T A V K I H L X L V O B E
D O D R I B G N I K C O M J W D E T J B
D L E I H Y W R X E T T U G S R N B E J
G E Y A S F Y O N U T T G O O S E S O I
C F U M G M M C R A L J P H F C W E O S
E K C Y G L X B K C Z X D B B T Q K F H
G K O X N N E S D M B S P C Y S N V O B
```

BLUEJAY	DUCK	MOCKINGBIRD	ROBIN
CARDINAL	EAGLE	ORIOLE	ROOSTER
CHICKEN	GOOSE	PARROT	SWAN
CROW	HAWK	RAVEN	WOODPECKER

Birthday

```
U Z L J O F J L I H Y F V I J Z M O S I
Y J V N N U R P M I Q W F A D A U H E Y
H S F I L O A O A P H P C T E K L Q S I
E K F G J R O N S M X U Y R F R G K Q M
M I G R T J B L E T P A C M O G X X I C
Q N A Y I W X V L C I E N P B T W D O B
M V E F R E I J A A C N P H C S U B U E
I I V K K T N K E I B B G S M V L I A T
E T R O S S E D Z T O F U T S N X V O S
G A P E P S C H S L A D T N M K F L F M
A T F G M X N X S M B R H E D Z I O V J
K I I R E J Q N Z T G N B S L Y Y Y Y U
D O Q C O N F E T T I S Y E G S V V J Y
S N E U N R O J V G N C G R L V F E N E
W B W M M I D L Q E D L J P D E N C J A
K P L O N E T A L O C O H C U L C E J R
F A B A A L W M S L Q F A P N Q U R P M
Q X C I J H X S W E E T S Z C H F C C C
S Y O A W I T R A N H U C D P T A L Q U
B Y J H A N F I V A N W O L C K L Y D W
```

AGE	CUPCAKES	PARTY
BALLOON	FESTIVE	PRESENTS
CELEBRATE	FRIENDS	SWEETS
CHOCOLATE	FROSTING	YEAR
CLOWN	ICE CREAM	
CONFETTI	INVITATION	

Bones

```
E M Z M S H K H I H G W F Y R Q K Y F K
W T G N R J H Y Y V L I Z F Q O B C J I
O P G L C L V V E K H U K S F T I G X G
O A L A I N A R C O E X O C E W V G S Y
S X M M A E T C O H E B H T N V J K V C
L V K N L E L A Z N N L Q N I N F D L L
G T E R B R H C N F L O M Q P K S Q Q Q
C B F R E V X L I U C C Q R S U L F J W
P W A J S D C T K V J N U S R S G E S A
A E B R C B Q S A D A M R E T K U M O H
T J H Q S F I T A X B L M L D E L U I A
E E U G W P M R G K T U C C M H R R G F
L L L A I B I T H W H P D N Q E H N Z C
L S X M L V B X Q H Q L Z B J L X G U P
A P H A L A N G E S V G Z G U B B A Z M
I R U E F Z C D O H M V H Z U I L B Y S
G W V L M K O P H A U O R G L D Y T I H
M K S H N K Y N S K S I M F N N Y X Z C
Z X I Z E A X L M M A X F I S A X T C Q
G P Z L W G E N Y F E D E U O M T N M V
```

CLAVICLE	MANDIBLE	SPINE
CRANIAL	PATELLA	STERNUM
FEMUR	PHALANGES	TIBIA
HIP	RIBS	ULNA
HUMERUS	SKULL	VERTEBRAE

Breakfast

```
L O D M A N H N F C U H M Q E S O M T T
Y R K Y I P D D E N I N W I M C A L G N
C O F G N D A A Z G A Z O Q A R T V V G
Z N W I B J R N K L G R R K W A M P X N
T X P E L S K M C F P S S I I M E S C O
T S N W O R B H S A H L B I W B A H T C
E Y P X W L G O B A K K M E A L L J S A
U T G M Y T I X F Z D E F U X E L E L B
X X C N W R P J C U T S S B Q D L Y U U
W E H K N A H A X B U H A F Y F D P Z F
H Z C W Q T B O Y N A G G M F V J P K U
K O L A V P V N X E X K A R X R X W R
L J H S X O T Y C L M V W W H N D P T M
Z A L O O P S K Z W Q J R W H A N L N T
N A E F P I D O R A N G E J U I C E T I
P S M R D U R E L C Y N W L T D J S A Y
S W X E E G G E M O R N I N G V A Z L X
K G C M M C R H E C W A Q I I O E E V P
Y T E M Q Y S P R H Y N L V T B I W M O
W Z H A A N A N A B C I H Q W W N N U A
```

BACON

BAGEL

BANANA

CEREAL

CHEERIOS

EGGS

HASH BROWNS

MORNING

OATMEAL

ORANGE JUICE

PANCAKES

POP TART

SCRAMBLED

SUNNY SIDE

TOAST

WAFFLES

Camping

```
N I B A C N I M S B G Y P B P S M A A S
G A B G N I P E E L S X H E P T S H D E
U C U U N A T U R E W D R R B A O U E E
A Z T E L V V M W H C T E N T P P N P R
M B X C J F K W F F P A C A V V S T W T
P O X J M H F S R U V Y M B P P V I L F
T O C E N U S P R R Z H L P Z H K N O H
N W A T J A B W S S O T V B F C B G O I
N C W R P T A T W E R P L O D I C F F K
A U N M X I K J Q U Z A E R K R R Q W I
N D O I J U W H H R K Q T B M I X E S N
X C T W A O B E G X K E J S Z X F I R G
R H G W O T R G J D A P A R P A M H O M
S G H D N K N L A K Q V L C C L A A O D
X W S A R B V U V L D S G Z E M W V D Y
O J V S L S Q E O M Q J A T M S Q B T G
C V L O L E P V R M H U U O Q B E V U S
K P U S U V D Y P B S T C T N K C B O C
I L U Y E F Y D G V Y K P L A G H I S L
Y R I Y K B V M C O Z R T L A V B V S O
```

CABIN	HUNTING	OUTDOORS	TREES
CAMPFIRE	LAKE	ROPE	WOODS
COMPASS	MAP	SLEEPING BAG	
HAMMOCK	MOUNTAIN	STARS	
HIKING	NATURE	TENT	

Canada

```
L O E C D Q X I L A S P F E O Z P T D C
I U B V A N C O U V E R B K I G C W W B
P V X L A E R T N O M I I N L D R A K E
W X F G W L G W S I B K G I M F K Q A Z
S M D M A X U P S L Y Z O A B X B U W H
F N R W K E I A I F M O T G S D S E F I
L R O S Y P Z S Y Y S A N R D X U B H M
P V E T C X A C Y O A T O A Z U Y E F V
J S Y N R X N R N B U Z F W J H C X P
Y O Z Z C O X U L H X Y O A C L P M E G
V S V U Y H H K X I A N T L S W S U L O
A A E J P D R M A C A I R L T N B B O B
S T X U B S H D I O O M E S E J L D A Z
F Q R P T M S H T T R N E I C P C C T K
D Y W E I S Y T Y G G S D N X A B A I V
S M O I H O A I Q L U A G P T Z P L C F
Q O N G T W L N I Y N V A Z L C U L C J
Z Q S W A F I S R A I U U U P J X G U L
D W X F T W H R C N S V O H L V J O B I
J Q T C Y Y Z Y E K C O H I B C H R A O
```

CANADIENS	HOCKEY	PARLIAMENT	SYRUP
DRAKE	MONTREAL	QUEBEC	TIM HORTONS
ENGLISH	NIAGRA FALLS	SIX	TORONTO
FRENCH	OTTAWA	SNOW	VANCOUVER

Cars

```
O K Q Q Z N P T I E I T A R E S A M F D
I W I H M D O R H N J R X O N S I Z M K
R Y K O M U S T R O I G U Q I K W O Q T
S E U X Q N R L H W E H U J N K F Z G C
S B Z D H U K A B L Y U G M E N O K A K
E U U K B E B U B U W J O R I E H C K A
A D S P S N I J T U T Q I U O V P M N W
K N X Y V C A G N M S H Y R J B E N F K
L X C M K R D R A Q S H Q C S R M M J I
Q R V A B U Y S J I E P I S C E C A G T
E Z Q Z K W N D B K D F V U K Y A A L Y
M D J D J O Y U P D Q R R T G Y I M G H
T O Q A S D S M L I S Y Y U F J T Y C K
I C P L V T R M D S D E P U F C N X A V
W K A O I Q R R R T E V I A F U O I D K
L Q R M R W V O L K S W A G E N P N I J
T X O Q S S E U C J S S Z L V U R J L C
Y S X P I N C Y O N Q T X S A A B Y L D
I R A R R E F H X G X D H Y D R Q N A B
X B T M S L P Y E B F K S W D F F Z C S
```

BUICK	MASERATI	PORSCHE
CADILLAC	MAZDA	SAAB
FERRARI	MERCURY	SUBARU
JEEP	MITSUBISHI	SUZUKI
LAMBORGHINI	PONTIAC	VOLKSWAGEN

More Cars

```
Z S G R W F C P B E L Z W I M E U L B J
W D A I W C A T M G S P C Y M H L K L J
S M B W S W Q Y G M T D H W T H R F A Z
Y Y B F V P X B Z T D E T M H S H G R R
X G K Z L T T T P H R O A Y K K U W H T
R E P M U B X O L G I T D K J A K L Q Q
F H E A D L I G H T S I H O R B Y X L B
N B R I W P I M W T T C D L M I Q E R S
I E D I E D V L E P Q T Q F U E L K D T
A N B P U C U O R L R E H C K G T T M D
H T F A V L D T K S P S C E R R P E D I
C L Z E O C E Q Y E A L J Y H F Y K R D
A E J V G X G X D F W A E F Z X G X O S
B Y S G Z L X E U D M D V B A V F H S J
Y B K E A I K I K S B T R T V D H O E X
A C U S K W D V O L V O O O Z U A G K P
M E M D H A E Q P B H Y J C F G W A U U
F H H E N D R U J E O I R X F K N X V A
X X E Z P D A B C T L V K V N O E L R E
U L X S D H M U D G Q X O E E T C S J B
```

AUDI   HEADLIGHTS   TESLA

BENTLEY   JAGUAR   TOYOTA

BMW   KIA   VOLVO

BRAKES   LEXUS   WHEEL

BUMPER   MAYBACH

FORD   ODOMETER

Castles and Kings

```
B A Q T U D K A T V B R O N O H V O F I
Q Z K L X N W E Z R F S Y G C U V T P B
Z K Q B I X S P I Y I G S P Y U H I D S
F Y I G N U N E C J R L A I R E P M I P
S E H U Y T H S Q C B L J X S G B I F W
N T R I Z J X L G H E L A S D A P N T O
D G G L A E M P I R E V E V B X T N R U
P B A T T L E A X E I C N K I Q V T F H
T I Z H F U Z I H T N I M O I H V Q X O
P N Z K G I R A Y I W J X I B N C T T P
T R I K A O R M R P W X I J J L G E G J
W F L E I V E P L O D I G F X M E D D U
Y R M E T C Z H T W R Z E N K L J N O D
M D O F E G U T A O A E U Z Z A C G Y M
Y H N W M C D H T B G R N S Q E D N F I
Q P A Q Q V D M V S O V M O L R A E B S
S H R B Q J A W A S N S I A R S L V C W
G F C V X F D Q P O L R Y F T H A E O W
M F H Y E V V D B R C O R Y F S T P F Y
T A C J I W Y H J C R O Q A W W N K C X
```

BATTLE AXE	EMPIRE	KNIGHT	ROYAL
CHIVALRY	HEIR	MONARCH	THRONE
CROSSBOW	HONOR	NOBLE	
DRAGON	IMPERIAL	PRINCESS	
DYNASTY	KINGDOM	REALM	

Celebrities

```
O C V U D M O Y Z B Z U G X H A R P O N
A D G B F N Z X E E K D J G D P Y C E S
G U E U K J Q F Y N B W V M M V G Y P K
C R U I S E K P N J R T Z A P I D I T G
F U L H K L M V A X I I G N T R Z N G W
B E Y O N C E X K M O A W O D L A N O R
R J W E G P C D B O G M F O E O N B G Q
O C I A J Q A E R A B R X K A R M I T C
R C B O C A R N L W A I A F C A C E C J
D J C Y A L C H N M G R S Q S Z F B I V
B E D I A C U K W A D U W H Y D Q E Z H
Z X B K T M P Q S G H S B Z R D S R O G
K J E B S S U I P O N I W Y W G A I C Q
J G W I E J G G R D N V R I U E R R Z P
A C Y A M N Q J V V R P F L F P R D B X
S X S H I A P S G C C N Y K A T I J R S
H Q W N D C S J N P K W C B O P S H Z
I U B E E R L U D O F K I H I V N E V Q
Q A U H M O P V Q T R D O J Z A Q E F U
S Z R Y X J M A D A W P S L E I C L K M
```

BEYONCE	DICAPRIO	JACKSON	RIHANNA
BIEBER	DRAKE	JORDAN	RONALDO
BRADY	EMINEM	KANYE	SWIFT
CRUISE	GAGA	OPRAH	TIMBERLAKE

Fun at the Fair

```
Y M V U Z I O B V Y W A O P K J H Z Y K
P D U A X E Q F Q F W B C P R I V B F B
T U N C A Z K L R R P Q G E M P J V E W
A R L A F E N O F I N O W O Y E C V R A
B A A N C P X C Z E E O H N N O S Z R K
O K N L V A T M C L L D F B R O V S I M
R P G X M R A T Z L F I D N E K J G S A
C H Y E L T U S A B A J D O K S W S W Z
A L B N L Y I W M I N O P V U A W V H E
J W C E R N S W D U G A R K B G I C E V
U Q O C W D T D L S R A W E V W H M E N
V D W Z R E S J N A I N D J L V J K L T
O J D O B R X L D T M M C C I G F I T F
A Q W M S T E E P I C M M N A A G R F P
I S Y M D M E P O R T H G I T R D U K Y
L N T H A T O W X M Z G K L L H N M J S
F F R I E D P I C K L E S H B L K I O B
P H S U V F Q F M Z A O N I U J C U E J
H M C O F V X N R I D E S Y P U V E N F
Y G D F O Y N L F B N X N O I L Q Y C H
```

ACROBAT	FERRIS WHEEL	LION	SWORD SWALLOWER
CANDY	FRIED DOUGH	MAZE	TIGHTROPE
CARNIE	FRIED PICKLES	PARADE	TRAPEZE
CORN DOG	JUGGLER	RIDES	

Colors

```
E E T V T E V Z S V Q Z G E A S B F C G
A D L A R E M E K C A L B E U N P P M X
U G O L D E U T I D I V S P A C Q X G C
B S I I U E D V R K V I R T I Q N A Q Z
U U S L V E N A B U O R I Y N N M R Q O
R Z B B Y U J M S U C O E D V C K G R H
N R Y F Q A N U Q B F U W P A T Z A L Z
D E C M E W M R W Z V P F D S P R B I Q
M D E C L H U R X T Q X D I R W Z F Q L
J N F M S T R C S E T I W Q W U A C J V
T E Y V I F E L R C N L N V E U G O D Q
Y V Y L E L P G H L U O E D L V L A M B
E A H Y T E Q N U P U E S R I E G L J A
T L Z J I G M P L C Y Q R M Y G V L S L
S J P S H N G X E N O K K E I J O L Q V
K J P L W H D R F L D E L K E R J S A U
B E S I J W A B L G V L G Y P J C N G Z
E X G T B B R D R D O X U I B R O N Z E
Y U H K L S K E E W U P X A S T F B E D
W T D Y B P Y K R U D F S Y J W F O G Q
```

AUBURN	DARK	LAVENDER	WHITE
BLACK	EMERALD	LIME	YELLOW
BLUE	GOLD	PINK	
BRONZE	GREY	TAN	
CRIMSON	INDIGO	TURQUOISE	

Countries of World 1

```
R Q C L T M M X C W M K Z P L F M R A O
I O A M A S F R C P S R N I O P P Q J X
S J I B I N L H U A A D B Y Y L H D M N
F J N F W C B O U D R E D H E F A U Z P
E Z W K A O C D U N G Y S N O K I N O Y
I Q Y P N I I Q X A E Q A U A G I O D N
O C Z D X A H N I L N U T W L L B I A D
Y J A E R W M P S R T P I E R T I U K F
B Q M A X T O M R E H B N N O S A E B
V U B Q S B Z P C Z N R B E I T N Q H V
W I V W L L L M Y T A D U A R G K O S T
A T U R K E Y I P I X R Z I X F E D W V
K M E E T Y A E I W R W A H F A Y R F F
L Z J H D O B M S S L N E E C Y O R I S
S E T A R I M E B A R A D E T I N U A A
Z B C C L N S T K X V H K M Z F U Y S X
G N J D E Y M O Q M O O G H E I B X O V
U N E T H E R L A N D S I X N N I X N L
U N Y I I O S U G A V O V A A L M W I D
F O U C E U N E D E W S M B V B R E M Z
```

ARGENTINA	NETHERLANDS	SAUDI ARABIA	THAILAND
AUSTRIA	NIGERIA	SWEDEN	TURKEY
BELGIUM	NORWAY	SWITZERLAND	UNITED ARAB EMIRATES
MEXICO	POLAND	TAIWAN	

Countries of World 2

```
D A D A Y V U K R L U V A Y R C Y E K Z
B E C U Q I Y T B E T J E U S Z Z B U Z
X A N I P L A G U T R O P G C S L V O Z
U Z I M R Z H N C T N W C B I G B K Q I
E R O S A F U S X Q P A P U L C W Z U A
V Y E S Y R A R W J U H F S B C V E E I
L E N P U A K H Q K I A L L U Q I E L B
G B N B I D L N T L P E I Y P W R C I M
K Q M E H P L A I U A X E D E F E J H O
H B J C Z V L P M R O R Y T R X L O C L
P A O V W U P Q S S O S V V H P A P E O
B N B T J I E I M P Q I X Y C F N V U C
B G B G N I X L A W E N I Z E I D Q O T
J L I E R N F G A T F R S C Z G B Q T Q
I A S G O R N E N K A E Y M C U N E J J
I D J O M I G A M N E D F P Z S G Y L P
Y E I N S W M Y K H U U F E B L S D C K
I S F I N L A N D S W T E G Y P T S H H
O H G Z N K X R Q N E W Z E A L A N D W
S F P H Q N A T S I K A P Y H H U Y D O
```

BANGLADESH	EGYPT	MALAYSIA	PORTUGAL
CHILE	FINLAND	NEW ZEALAND	SINGAPORE
COLOMBIA	IRAN	PAKISTAN	SOUTH AFRICA
CZECH REPUBLIC	IRELAND	PERU	VENEZUELA
DENMARK	ISRAEL	PHILIPPINES	VIETNAM

Countries of World 3

I	R	E	O	D	L	X	Z	N	H	U	G	A	I	Y	X	G	A	P	P
A	N	A	H	G	C	C	F	I	N	Y	D	A	A	N	G	O	L	A	D
C	A	R	T	M	O	C	I	R	O	T	R	E	U	P	Z	G	R	O	K
I	T	R	O	A	E	O	Z	R	C	H	I	O	A	A	F	R	M	G	K
G	S	P	A	M	Q	U	K	E	X	S	K	L	R	M	H	I	R	J	B
G	H	E	S	M	A	C	L	Z	D	Y	U	U	E	M	N	O	T	L	T
Z	K	F	P	L	N	N	C	O	A	A	M	C	W	I	X	I	O	L	R
R	A	Y	R	M	A	A	I	B	W	K	U	W	C	A	U	D	J	Z	U
Y	Z	W	E	O	C	W	Y	A	V	A	N	A	J	V	I	L	B	J	K
N	A	E	A	R	R	M	B	M	D	C	N	A	D	I	I	T	V	U	R
Y	K	Z	W	O	Y	Z	O	O	C	R	K	Q	L	F	R	B	L	L	A
R	H	V	E	C	H	Q	R	C	E	R	E	B	J	I	I	A	Z	J	I
A	E	Y	Q	C	K	A	A	P	V	Z	N	A	S	V	R	O	Q	U	N
G	B	K	R	O	I	I	U	Q	M	M	Y	K	N	P	D	S	W	V	E
N	N	T	D	R	P	B	L	V	R	Z	A	O	U	O	U	J	S	F	B
U	H	S	E	O	L	N	Y	S	V	O	N	A	D	U	S	M	S	V	I
H	Y	G	I	I	N	S	L	O	V	A	K	R	E	P	U	B	L	I	C
M	L	H	C	E	C	E	E	R	G	L	R	B	C	P	Z	W	D	G	U
A	T	M	U	Z	U	L	S	C	V	W	Z	N	N	M	F	E	F	A	L
E	N	S	A	C	H	C	V	H	N	L	N	A	W	E	J	B	P	C	S

ALGERIA	GREECE	KUWAIT	ROMANIA
ANGOLA	HUNGARY	MOROCCO	SLOVAK REPUBLIC
DOMINICAN REPUBLIC	IRAQ	MYANMAR	SRI LANKA
ECUADOR	KAZAKHSTAN	PUERTO RICO	SUDAN
ETHIOPIA	KENYA	QATAR	UKRAINE

Countries of World 4

```
X Z U O L I T H U A N I A X E K L Y J U
T G J A T M F L R F H C Y L O Z S A X T
Y R Z L I B Y A X S R O X E G D S U C G
T N U X Y D C B M O O O I B O A D G V J
I S Y F W Q B Z A Y J C C A B X E U X X
G L O N F B A T S Y X Z W N L K C R J J
Z M E Q O E I A O M J Y K O B B O U J Y
A N P H Z A V A L Q G B O N I G S X G T
I A P T Y B M R X A I W L P R Z T A W Q
N H X T U A E A D T M X A U Z A A N G C
E U M X N Q N L R O B E O P W F R D E X
V I Z A D N J X A U A B T I T A I F L D
O E P B I J G F L R M B V A S D C O R C
L A G Z E Q N G V E U D M K U Y A Z S L
S A R Q P K A G X Q Q S T G O G J I I U
U C O K G R I U L K E A I N A Z N A T M
B E M W I F L S N A M O I V J N R Q Q Y
I F M A A W C N T U F Q B C T E S C R P
H U X I R M D G W A E A D R K T X D Y Y
H L F V Q J Z Z T F N X L U T G I T C H
```

BELARUS	GUATEMALA	LUXEMBOURG	TANZANIA
BULGARIA	LEBANON	OMAN	URUGUAY
COSTA RICA	LIBYA	PANAMA	UZBEKISTAN
CROATIA	LITHUANIA	SLOVENIA	

Countries of World 5

```
H R K T S J S B V D I S A N V P P G S U
D D Y I B J H A N Y M D E U A J H W A A
X B A H R A I N F A N F J D X D A B I S
W E R O A B F B U A T P Z F K I R S W Q
H N L L W X G J G G F S F S X T I O W Z
E Y D S J A S U H I R V I O E N R F J N
Y G O Y A A I B R E S A N N U T E N A T
M X G A C L G O Z U Z L Q T E W M A E N
Z I N U R B V B Y E K Q A K Y M J T K F
K I O G C H B A R B Q M E T A N K J A N
O O C A H Z Q B D V J P N T V B I R X T
N H E R O P A K G O O Y C Z J I I I U C
J X M A K I T V G N R P J J M C A C Q T
G K U P J S D B G I G U C Y W A R T I T
B O K A G H A N A Z Q K A F I M E D Y I
U V N I X Y Y V R F O N G X K E C V H V
F K O N S E Y J U X D C P Y D R L S O M
F Y Y X M F A I V I L O B L X O G Y K G
R O V E L J N P E B E W M W D O C O Y H
Y I N L U I E P D H F K Q G T N F C Z X
```

AZERBAIJAN	CONGO	LATVIA	TURKMENISTAN
BAHRAIN	EL SALVADOR	PARAGUAY	UGANDA
BOLIVIA	GHANA	SERBIA	YEMEN
CAMEROON	JORDAN	TUNISIA	

Countries of World 6

```
P L A F Z K A U V E K D B Q A I D N I H
P X D B U M Z B F A B R T P S Q I A A Y
N Q O R P W A E T G W D T E P E H A Q X
U Y Q N H I Z S F P L V K P E O V N Y B
W H Q O S U E Y L G K Q Q K B T X W U H
G Q Q S N T O J A P A N F F P X Z O N O
J F U D S S K T W T F R A N C E A G I M
J R M O D G N I K D E T I N U R F I T L
X A J J C Z U X W T Q R S E A M L J E J
Y J R H A M I U C X E I B N I W Q L D R
V C I H D A G T M K N Q Y F X Y A K S D
Q N R E A A I V A D G D G J B A X K T V
A N K Y N Y U L O L I F H E G G M P A U
N U O L A L P N A L Y E U S R S N W T V
F L R C C M E C W R F T U N X M Z H E M
Y I E K Y S M O N L T W R Y Y L A G S S
P Z A E I D G I P Z A S F F Q Y P N T D
C A M A E F A D D K B X U I V C U Q Y B
O R A A E P D R B O E P Y A J X M L E A
H B X E S W Q Y D K W R J A M I I J K X
```

AUSTRALIA	FRANCE	ITALY	SPAIN
BRAZIL	GERMANY	JAPAN	UNITED KINGDOM
CANADA	INDIA	KOREA	UNITED STATES
CHINA	INDONESIA	RUSSIA	

Desserts

```
L O C M A H H P R Y V N R C K W C L M J
W G N V C G I S P U M P K I N P I E V G
H M S P H X U Z W C G T F Z C S Q E Y V
J A Z N B B F L A B H V Q A F R Q T D M
X F W M A N U Y R W G E P N W M E J E T
W R C Z N Z N O U V N P E K Z X I P B P
C K B W A T G D M D L H F S Q U E U E J
S K U O N I U F M E T R O E E G S P X G
U D B Q A D K N P U O A F P D C X I C Q
N Z H D S A E I H Z N H G U U Z A H J D
D Z W X P B E V E G K I F E O J E K N A
A M P T L K J N U L U T H C L L T Z E Q
E I R L I I Y E Q W O O U J G R J Q L W
G J B V T O L X X H T W D M N G P X R G
E F S Y G F S V U U C N B C I Y O B E N
B U N U F B R O W N I E E R T N E D E I
A Y R U W T U Q A J K Z P V S H D I Q D
L T R N Y U E U D E U D O Z O S R U U D
Z T X F M A E R C E C I O J R A Y D D U
Y D T H X E I K O O C X G C F H Y O Y P
```

APPLE PIE   COOKIE   FROZEN YOGURT   PUMPKIN PIE
BANANA SPLIT   CREPE   HOT FUDGE   SUNDAE
BROWNIE   DOUGHNUT   ICE CREAM   TRUFFLE
CHEESECAKE   FROSTING   PUDDING

Dance

```
O E W C G U Q R W W L T S I W T E P O H
G J T Z G E R O Z Z M X X W L E T P W E
J Y H L D C W D A C S R G Y O U U Q K T
Z D I D D N Y E O Y U X C S O L A Q Q K
B T U V Y A Z O E C N A D E R A U Q S P
M F L O O D F P P L X X K R U M B A W V
P N L A P Y O N O T J I T T E R B U G O
N N W V W L W S L L L W A D F M J P C C
V I T R P L Z C M G K M Y N O Z M O I N
X K A I S E D L R B B A N O B K N U I Q
S T P X X B O N Q G J U R C U G Z A G R
P F D V D R L Z U U M L N R A L P A D C
V J A J O V R I L A L A D N N G O S F E
E Z N T B B E M C A G E X T Y C D L X L
C U C H E Y M A B V U E I A S H G A K G
O D E W K Q R I X I U J I I E W O S N Y
K H I N G E M N L D D G D P G S T P N D
B G T N N X B A V O G G L L A Z M U B R
J W Y A S W T O R W B I O P A N U X K J
H R O Y B T U O N T W X N O R J T P N Y
```

BALLROOM	DISCO	POLKA	SQUARE DANCE
BELLY DANCE	JITTERBUG	RODEO	TAP DANCE
BUNNY HOP	LIMBO	RUMBA	TWIST
CONGA	MACARENA	SALSA	WALTZ

Dinosaurs

```
I W D S T E G O S A U R U S X D D Y Y E
A Z F I V H E Z N G C Z T R V N B L L P
U E D A P G U O M G W S X B G O J I V M
A W O D O L D R O T P A R I C O L E V C
W H O I S O O M Y T E R O V I N M O I R
M B T G N P B D D E G U Y K Y A M S K E
B V E A A S O R O F Y D J E Q C S Z X A
M Y U F D U W T A C R H N U S A P T E N
Y G M A Q R E N A C U C I V I Z I C T J
I O P T R U E R J R H S F R N N J I W A
J O C R B A R W O Y E I T V C L A S Q N
C M A E H S F D E V V C O T O Z B S D K
D X R P Q O F W T L I U I S F Z X A X Y
J B N P P N M R P H G B B R A W F R P L
G J I C O N B U T P J F R A T U E U F O
T L V Y O A L J W M O B Q E J C R J P S
M E O C M R M T U S J E G J H A L U O A
J Y R Y Q Y C S S M D Q Y B Y C Q P S U
O L E S X T H I S P T H E R O P O D S R
S U F H X X L F J Y V J T P V S D Z Y S
```

ANKYLOSAURS	EXTINCT	JURASSIC	TRIASSIC
BRACHIOSAURUS	FOSSIL	OMNIVORE	TRICERATOPS
CARNIVORE	HERBIVORE	STEGOSAURUS	TYRANNOSAURUS
DIPLODOCUS	IGUANODON	THEROPODS	VELOCIRAPTOR

Illness

```
T T O N U A N O I T A C I D E M N Z D E
H F P B I M G A Q H U G S L Z B F D A G
E F I W Q G X Q G B C U V C M X E I O S
R T O N S I L S O Z S D D Q S H C A L L
A M N Q V H B H Q K T X N Q A M T B Y T
P C L J A V Z R D I A D N F W H O E J V
Y B O W I I N F L A M M A T I O N T I T
J V Z E M I Z L I J V K T S H P M E D R
D F A V D O C H Z O B Z E X Z O S S J W
I A Y E X H N A F B Q H I E O T P V S V
A A P H H O V Q V U L N D R H Q V G X A
T Y J P U R F V A I A K Y B Z C F M G J
S B E J B X R R A I T C T L W D A D Z U
R K Y A R X A A T C N Y Q F Z K D B M T
I N Z P S N E L I E C S C S B P V J Y W
F E I S T K H Z G D K I D E F H U P E W
H C O I C V S R H X J J N A D Z E Z Z F
I L N N V D E E A L R X X E H T W W A J
F E S Z V M E W K L R E H M W K Q B D K
B M I E E C K B Y T H L I O P F S J D P
```

ACHE	EMERGENCY ROOM	MEDICATION	VACCINE
CAVITY	FIRST AID	QUARANTINE	XRAY
DIABETES	FLOSS	THERAPY	
DIARRHEA	INFLAMMATION	TONSILS	
DIET	JAW	TYPE TWO	

Dog Breeds

```
S E G N N S E V V B Q H M U D H D P I E
P W C J S J W G C N H M I D H M I L E P
A Y X P G D X T F P O O D L E T J N Z G
N O T F N F E K L Y E F H S B H A K E N
I Q U B X Q Z D I T M P K U C D K R S G
E W Q J Z M W T C N X T L C T O M E O Z
L F X T O O W Y R B G L D A R A U Z K D
B E H F H X T H A W J C E N N E P Y W I
Q S T B E R N A R D E R H S U K X O R Y
N D F E M O L Z O N G B H A R O R O G W
A A B X A E Z S S V L E G L R Z H R B E
I J A E Y O F R L Q P K R T J L J X G Z
T W L O R U E Y N H X Y E B G M E I O F
A P C A Y I H U E J A D Y V U Y E S D F
M E U K R F T R W P I S H J Q L Y Z F T
L A Z R N Z D K E M L S O F W R L V M A
A L E Y O T A P X N J S U H I O F D O O
D T Q T H S C Y H Q K P N K S C E U O G
O L L E S S U R K C A J D Q W Q Y A I G
S V N Y Q H C G T Y Z N B O S T A X Z R
```

BOXER	GERMAN SHEPHERD	KING CHARLES	SPANIEL
BULLDOG	GREAT DANE	LAB	ST BERNARD
DALMATIAN	GREYHOUND	PIT BULL	TERRIER
FOX HOUND	JACK RUSSELL	POODLE	

Earthquakes

```
C Y M E P I C E N T E R Q R R C C R Z A
U E L A C S R E T H C I R O U O T I S E
K Q X S T O R S I O N D L L S L F J A X
R C S S A R T N W J C B K U E L Q E X P
G O R E Q E O I C R C A R X V I Z R K W
Z Y L I G I R G X A K F Z B A D W L V F
E Z E X T R N D L H A I L G W E W X Z K
V P G C L A E I N U S H Y Y C X I R R Y
R R I Z V Q F V L A F D P Z I M G E B Z
E R R U I O N T I M N A K V M U W G O I
F F M F R M S H P D T A L I S C K N U R
Q L O N X L P M E X Q C S X I Z G A N H
Y A I O W H L P U Y A Q N Y E F U D D G
F A O S T Y K A H I P Q Y N S N T J A T
X D Q I F W D L C B T E O V O H E M R C
K Z V B Z R A R G I N I G X O G B J Y L
O Y U Q I G Z L R D S V L R X G A O D Q
Y V J C D Q Q B L N S S E R T S W T N C
I C C P L K X U E S L N W Z Z M E T D A
P V A U V X O T V A P I W F E P J A L H
```

BOUNDARY	DIVERGE	FRICTION	STRESS
CALIFORNIA	EPICENTER	RICHTER SCALE	TENSION
COLLIDE	FAULTS	SAN ANDREAS	TORSION
DANGER	FOOTWALL	SEISMIC WAVES	

Elements

```
T X V X N A T B H L T D U T A C B E P M
B K N K L Z U H L Y G L S X C D I O S K
S S Z L B Q O K H H D X Y H O G M Q B T
A A Q J Z B C C D Q G R T X O I A J Y R
J E K K T I T A N I U M O P O D G Q U I
G O I T S E H Q K D H H Y G L U N M E J
N E C O P U K O C N U U K O E K E M Q S
T Y L I D A R Q N L K P G W B N S J C P
C Z I N C I B O I H V E N E Q I I Q A R
Y S G F F M N E H C C I I E N S U W J B
D O T V S I V E F P G M N F I R M W W O
X Y P J N K M D C M S I Q L F A G W X D
C R X N Y M W U X R R O V N N N N V Y W I
V U W K D E M P I O V E H D X X G P C Z
Y C R I Y S R Y U D R U U P Y E S M O A
M R T X V R U L D S A C F O N T V U P O
O E X F C K F M O C T R Y J A U K I P D
M M Q A P L N N Y R M U I C L A C R E V
Z B L U M A L M Y Q U R C X Z M H A R W
G P L T A F D H L G J Q Q Y T A M B X Y
```

BARIUM	GOLD	MERCURY	SILVER
CALCIUM	HYDROGEN	OXYGEN	TITANIUM
COPPER	IODINE	PHOSPHORUS	ZINC
FLUORINE	MAGNESIUM	RADIUM	

Emotions

```
R W J E M N O S D E S S E R P E D P P V
E U R B Y S O K V P D R V P J E J R D E
K C F E F K I I K A D M I R A T I O N R
A Y C E M I C M T C Z K O C B F M Z W E
F I I C M M R K I C H W D E D A J N R G
T J X S Q I U R V T A E H W P S R R T N
S V R T A J N L I Y P F E L Z H E R R A
C F B A H C C G Q T Z O S R B C I V S A
U L U T M J O R S L A A N I F H J A U B
D U W I Y G M E U D B T L C T U N T K S
T F J C X Q F E O K G D I K S A L R S B
S H R W L N O D V M F L T O L Z S E I L
U T O C G Q R Y R J B C Z N L N T T M
X A S B V W T D E P K W X O U I T E S Q
P R B J R E A X N J Y X G F P E R Y Y M
Z W J A S K B K Q T N S E P R R S R Z K
Z V G N W P L G W H V G A N O A A T F Z
J E X P S B E F Z C N H E R E E Z K J U
L U F E C A E P G E T S J O W U E S E K
I G L L R M A C V Q S M O D E S T Y Z H
```

ADMIRATION	GREEDY	NERVOUS	UNCOMFORTABLE
ANGER	HAPPINESS	OPTIMISM	VENGEFUL
BITTERNESS	IRRITATION	PEACEFUL	WEARY
CHEERFUL	JADED	RAGE	WRATHFUL
DEPRESSED	LAZY	SATISFACTION	
ECSTATIC	MODESTY	TERROR	

Family

```
K M U G R A N D F A T H E R J D U G H A
M Z H R N A Y R N V A H Q E V Y H I F T
G H K E O K P R Z C C R F X N G E L G N
W M X T U H Q P Z I E I Y T Z B L B M U
N N W S C H W K E H W H S Z S D A B D A
Y N F I C O J M T X B U Q W Z X F Y A U
B A V S K R U O Y R E H T O R B P D U U
U N I M P S M S D L R K L W L T F D G P
Y N W T M D S J I H Z S G N E I R Q H Z
C Y T F N O T L E N M R O R B L V T Q
K N F A N B Q R O S A D U O A P E S E P
Q X R D Z Y D Q N B R F L F F N A O R F
D G W J I R D W G H V M K J R K D G L C
N F N C L I B N M X I M A M A M R M D J
U N C L E O W N A O Y C D F U A E H A N
B C B H Q N G E A B M F J A N I M G F O
P K V W V Y V I H Y S Q R D D C I N Y P
B D S U J H N Y I P K U P K P U A Q C T
N J O F P B F O W P E A H J K R W F G U
F P U Y E O F G S H T N I C I G A S A I
```

AUNT   GRANDFATHER   MAMA   SON
BROTHER   GRANDMA   MOM   UNCLE
COUSIN   GRANDMOTHER   NANNY   WIFE
DAD   GRANDPA   NEPHEW
DAUGHTER   HUSBAND   SISTER

Firefighting

```
G T A O J U A X T M R Z H E U C S E R Z
R I K Y Y K R R O N C U T Q O T P U O L
O I W S E K O M S Y D C D H J J D U K W
J E Q U Q F Y R R U C P L P L K O W C C
J X H O L Y E G D B T N Q U Z Q I P K Z
J T I R I Q A P Z O D N E G R A B B V D
K I R E F I R E H O U S E G I E F K N Z
W N N G F W O P H Z A Q Z R R Y D M V G
K G S N N C O F E S O M O B E R D K K
F U Y A P W B G W J L A J H P E M C A C
J I Z D Z F F R I N S M R J T S F E R L
V S X T V U I O C K K A E A K N Z I J
L H W J B Q M R U L P Z W T A F F K P Z
W E Q W L J Q U E Q N H A I F R E E G W
B R T W C L M K P T O I T H D L D Z K Y
O A A D B M N U A H R A T U S D S X T L
W N E F T R S L N D M U T R Q Q I M R F
T Q H S Q U A K U L P D C F F O R C O E
V I S M N R K G A V R G R K G S E E V Q
L I G J M V F D H K V A X E G U N O G H
```

AIRMASK	DANGEROUS	FIREHOUSE	RESCUE
ALARM	EMERGENCY	HEAT	SIREN
AXE	EXTINGUISHER	HELMET	SMOKE
DALMATIAN	FIRE TRUCK	LADDER	WATER

Fish

```
A P M R I J D Q T R E E F D O C M V V J
R J E C H A M M E R H E A D X K T B B U
N R H J Y U B W E Z Y U I M I L S I Z K
A N C H O V Y D H A V S E W M K M G W Q
T Q G S V N Z F R Q S Z B F A B J S B F
F A W R Q S H L Z A G E T R R D S M A J
Y V Y G U Z I A B J P E L E L W U E R F
C D G Q C V A A H D H R L D I W L Q R R
S H G O E H S I F D L O G N N A I X A M
A C M D G G R P X V R W Z U Q S W J C H
Y H J H D I O Y A S J X U O O G O R U D
S M N L G S W H V Q E G V L N N R D G
T B O A J Z X Y T Y C A M F O F N T A A
A L B Z R O L Z R A O D H E G S I Y G X
Q O C I I I W I T E O K B O V H M M Q H
Y M Y N Z Q P F E R Y S S I R E E D F I
V X C U H S I G Y L O G N H C S L G Q I
N O W I K S L D W X T L E B A J E A R T
P G A X H C D Q V D I U L S R R Q C H U
Q D G Z C M V P T K A H L R H M K A A W
```

ANCHOVY   COD   GOLDFISH   PIRANHA

BARRACUDA   DEVIL RAY   HAMMERHEAD   SEAHORSE

BASS   DORY   MARLIN   SHARK

CATFISH   FLOUNDER   MINNOW   WHALE

Flowers

```
N B F Y I T S M X X L F S Q K V M T G N
D N K K W H T L U A U S U W D F T Z I T
M W M C T S F O L I V L Q D A J F X T U
X S U N F L O W E R T I A L E S L L N L
R P O P P Y K N P M I R X T B A T N F I
C K O Y V F F B L B V A U L E E X E C P
X Z G U C I A D U Q C Q F T X P G G R G
T V U I X K I T A G U T W G S D E A J V
J U Q Z Y W T U E F Q Z Y V S A Y L I T
S Z S F L E W N B Q F N S C T S N D B A
H S H G R P I B N Z J O F L N Y S Q A A
B T X C I R S X Q A N C D K U R Y I W Y
F Y U J U C T P C V O I E I W N Q B B H
U P D T C K E J K S K S N U L O P R K K
U R W X H K R W M O O H Y I G A Y N J R
O B K Z Q A I O F R E W X E T S O M T H
Q T E F B O A O F U R L B L H O O V E J
B M Y K B Y W P G C S K L E F M B B F F
R E D N E V A L C R L F F C X I T R V B
G S I R I L E O B Q N R O Q E M X D O A
```

ASTER   DAFFODIL   NASTURTIUM   SUNFLOWER
BEGONIA   IRIS   PETAL   TULIP
BUTTERCUP   LAVENDER   POPPY   WISTERIA
COSMO   MIMOSA   ROSE

Flight

```
A Q B T N E Q R F P R B A G G A G E U E
S T G J N A R F U P F U H G G A L T E J
O D G Y J A O Y G N T I W U X B G G L J
K K D R J E D Y C A W L R O Z M B K D L
Q L E L K V I N E V B A K S T D B N S T
L A C A Z V K S E K L D Y B T O U F A X
A A T F I L W Y J T F R G C E C L H D C
Y W T K J O Y J N F T P M X Y E L I G R
O U Z W D H C E H K U A X R E R L A P A
V M X N I N T E R N A T I O N A L S S W
E B I T W T O E G E P C D S Y Y R W I S
R W B U M R Y O W K S A M N E G Y X O A
G J R R H O R K D S X B E P S H T S T G
Z Q I B F P L K J D C C N E H Z E G J N
X U E U H S L R O E O K G Z A C C B W I
U D O L N S Q C P C H X I X U Q G E N D
J K B E F A K Y K K P E S R N H B A I N
Y V B N Z P Z P Y F Y X I I V U Y Z B A
Z S C C I K I X H B M T U U T Y Y D A L
N U R E Q T A R A Z Y B W T H G U M C I
```

AISLE	FIRST CLASS	OXYGEN MASK	TAKE OFF
ATTENDANT	INTERNATIONAL	PASSPORT	TURBULENCE
BAGGAGE	JET LAG	PILOT	WINDOW SEAT
CABIN	LANDING	RUNWAY	
COCKPIT	LAYOVER	SECURITY	

Fruits

```
D Q U C W S K A R K F N J H L K D H C K
P J R N C H D D O K P H M W P F F A T R
E L G I M I I U K Y D Z I S A W W M G Q
A E G N A R O R R S A P M P E I E J N G
R Z G E Q X M R W L O D P R W L G X P O
Y P B Q B P E S E G I L P I O O D R R O
O M O C H B R T C R E M K N E L H S G Z
J L P P K L A T N V N Q E N G N U X A P
F J F C G M S T L S G L U F A A U R K F
S P A K P V P E G S O N E F F L J R N E
P L L R U B B O U R S T O P F H V L P Q
B X S C V W E J N L A H R M I F V D Y Q
N J U H H D R C A S Q P O N E G B O R J
U L B F N K R J Y S J V E H K L G G R T
P D T L E W Y J Q Q L J B F X G Q N E X
X R P E S N I S V R R S Y U R N P A H I
E A H S S C B B N M S A A K G U Q M C O
S H R F L D T A P L U M S P C X I N Y O
W G M V B O Q A G M R F Z C J K S T P C
Z G N L S R P A P A Y A M H J F E H H E
```

APPLE	KIWI	MELON	PLUM
BLACKBERRY	LEMON	ORANGE	PRUNE
CHERRY	LIME	PAPAYA	RASPBERRY
GRAPEFRUIT	MANGO	PEAR	

Furniture

```
O Z K Q L Y G N A C D B L C Y I U A Z W
S H Q Z E L B I F K O U A P V J S J A C
G T E P R A C G O S S U U H K T R G S R
N H J Y H R P H S N C E N L Z F E Q V F
A D P C Z J A T A S R X D T U P L S E A
S C N A C V O S N Y Y N E E E E D S T D
N E N U U R T Z O L Z X A W R X E E A
B G A F L D D A M L T H R O N E E R P K
I H S O Q M W N D H G L G R D H N T O Z
A U B V D V L D R Z N T E Z G O S T H G
E A Y Y O B Y Z A L W N O Y V H M A K Q
S K S P W D P W R M I Q L O B W U M W P
W T B E A V X P M L U M K W D S I L E T
X H W S V N M V C L E N P C Y W O J F O
I D D P M X T E R W J K Q I O U Z E U C
E D O E J T R R Y N F I Y O N M U C T Q
M Z G G M Z B O Y P Z R B G R U M A O O
D M H B F R M I I B Q Q E E W S V A N U
J J W G M M E X E R V R R Z M J H X H B
G D H J H R I D D V Y S H O J I P G E K
```

BED	DESK	LOUNGER	RECLINER
BENCH	FUTON	MATTRESS	SOFA
CARPET	HAMMOCK	NIGHTSTAND	THRONE
COUNTER	LAZY BOY	PANTRY	

Geography

```
C K H V M K R I T S D W F Q A X Y E Y O
V X S E N E P N S O U T H A M E R I C A
P Q P S S O E Y B K D X Q G C D O Q O F
F N N D E N Q G M P V E F A W A J U Z E
T O E O I T L Q A J P P V C J Q M C U A
N L G T I O A B A G L F O I Z D R B R R
L O N P B T D N C J F J W T K U K S T T
B O R A S P A D I U M X O M T N N D F H
C H L T S T N N X D Y B F T G N M I H W
S E N U H A W T G S R A P F H O W O V F
K M N G L E X A G C N O M Q Q I P J D M
P I R S B U A L X T V F O O J G Y Y U L
B S I R B H N S A V S W E C T E Q V G U
Y P R E V I R R T B S N C Q N R G I U M
E H G R V Z C N P M G A T T H M B D G Z
A E C X J T I H H R E D U T I T A L B E
U R E D I T M Q C B T Q W D F I V R S D
F E U C D N A Q Y A F R I C A Q X O C M
B G A B U Y X R F I I Y X Z Y T Y B P E
F C K T M S L S B A C T T E M Y B H T L
```

AFRICA	EARTH	ISLAND	REGION
ANTARCTICA	GLOBAL	LATITUDE	RIVER
CONTINENT	GPS	NATION	SOUTH AMERICA
COORDINATES	HEMISPHERE	NORTHEAST	

Geography 2

```
V M K R J K Z U C Y X P G D J M T G I U
L L K O E T N E N I T N O C H N R N F P
S M G C K I W P A L C I E U A A E U K G
G T H J J U C V K K S K R G G Q N R I I
V O L C A N O A Z S O Y R R L K C N O N
N I W Y D C C V L J Z R A N Y E H I I U
K O U X U B A A F G S V U B W D A U D
F E P Z N W W V O M E L H K H I B T H N
A P M S E B A G E L O T U C U O N N H T
J I J Z M J D E X Q U B R U E U U B C
L B S R L R U Y S Z M F U L R F Q O C F
W N V A M H I M S E R A D X V Y J M D W
L A R C J E Z R L P L E W Y N K C M V E
L X E O K S A B E L R D X O H C P M L R
Q S T W C G B H N S R Z Q F Z M G M C E
Y Y A X P E N B F I Y E M W L S H C W V
T H R G P Y Q G G X Z E Q C A Z G D I Y
B P C N R F M I G X A I G W W L C M V G
R J W E L Z F X U K F I K L M Y H F Q I
A R Q A O A T L E D O A Q R E E F B P Q
```

BOULDER	DELTA	GRAVEL	SLURRY
CAVE	DUNE	MOUNTAIN	TRENCH
CONTINENT	GEYSER	PEBBLE	VOLCANO
CRATER	GLACIER	REEF	

Groundhog Day

```
Y Z R L W G L I T N J O A Y P Z Y K H D
V M E K W M J U Y P N G U Q A N H X O Z
O C T C G D O F A D E T K B N D S H I J
T S N Q E J N T M K K R E U N A I A Y I
F K I N B C V U B Q S F S M U W Q L N S
E V W F W O R T O A X I N L W L T R O Z
J A J C D W U B H R Q A C H A X S Z O H
U E R Q J N B L N J G U B T A Z A B W N
R S B L N G Z L G Q J R E H C M C U T Q
B T D E Y A T Y P N Z S E R E F E R C P
U V L I W S J T O C P U V D B F R R T X
R O D E N T P I M R C J H R N X O O H P
Z X T L Y U T R I S G P G K O U F W F B
J S D K D C G N I G O H D N U O R G E W
S B O X I V G K S N J X D W Z D V Y B Z
E Q J D V X A M Q Y G O F I T P X I R H
T M E H S H R E H T A E W J L G K B U S
R R E S Z W U R Q B V Q V E D Q R D A V
P O K D O I M H Y I W Y Q O W U V R R S
Q W O O D C H U C K W S J Y F M L F Y I
```

BURROW	GROUNDHOG	RODENT	WEATHER
EARLY SPRING	HOLIDAY	SUNNY	WINTER
FEBRUARY	LATE SPRING	TUNNEL	WOODCHUCK
FORECAST	PREDICTION	UNDERGROUND	

Halloween

```
U B H M H Z S C A R M L P Y K Z Z D T P
I W J D V S S X B K I F Y Z O M B I E K
V U K V J G E A B Y N O R I B I B U A G
S C T P P D N L Y E F H W I O Y V R R X
T L B I G I K Z Q R Y K O O P S P I H R
U Z Z U H D R T N R E T N A L O K C A J
Y W J N O V A Q F L P J D U G T P G S K
E H T T S O D Z E A Q J H H T L O T B N
N I E R T J R H S Y R G E Q Q K C T Q I
Q N N O I N P V F C V C O V P B T B W D
K M L Z F C A X G Q P K H R T F O I P X
I U D F E M K D I K W M C F H B L T Y
H T Z P P N R O E G B N K E T V E D Z P
C U J I I N D Z R A Y B T T N I R F A S
M A R L M E E V I T T U E A Z J W R X B
F E B V T Y Z Y Z I R H Q W H Y T Z S O
T O K N F W K Q R S H E K B G Y H E L A
G B U D S D A K V A E M A N Q W O P A I
J A P U M P K I N X C J C T G C L L V Z
H D G X K E R K C Q M S C Q X M R Y B R
```

AUTUMN	GOBLIN	PARTY	TRICK OR TREAT
DARKNESS	HAUNTED	PUMPKIN	VAMPIRE
DEATH	JACK O LANTERN	SCARY	WITCHCRAFT
GHOST	OCTOBER	SPOOKY	ZOMBIE

Wizards

```
O U S B Z I M Y H U F W A E O J C E Y T
B Q G D P M T J A A R A X C Z N Z L R N
S Z C V S N Q Y G D C U W P G N F H Y S
S R X E U P G O R Z I G T G V D I R R R
Z E O U P R E R I C Q S C A R P R M B A
Y T H V X Y N O D P Q Z H H P A I A U F
R T C O W B O W Y G D V F O H T I P I P
A O G R R M I L C E M H G X N O B F S P
C P Z O M V M I X M L R E L R V S B H D
T C Z Q A I R N C Q I S T F I O A M M Q
S P T R O N E G T F M I A S Q J N P G J
D L X X D B H H F V F C T E U G L A L G
C A Y O P E K F O D V R D A W D O D L X
T X D T C L V E M B A S N M K P W T C D
Z E D A H H Y A P W T Z O Q U X G G X A
D K W C T E L Z G A X H C T I D D I U Q
H Y N V Z B R O H U N T N R E G N A R G
S J V Y U R H I A Z M S G R O O I I F A
C H U S H U U F N Q P J O Y Y W A N H G
H N C R A V E N C L A W T M I O X Y U O
```

ALBUS	HERMIONE	QUIDDITCH	SCAR
GRANGER	HIPPOGRIFF	RAVENCLAW	SLYTHERIN
HAGRID	HOGWARTS	RONALD	SNAPE
HARRY	POTTER	ROWLING	WEASLEY

Hobbies

```
R K G F W N Z T K Y R H Z Z J Z I E W Q
F D F L Q Z L O S G Q X G Z N N N N D U
K B A E Q Q K U L L A B T E K S A B U D
S J L N J X M U X A D G Y U P U B U P T
V V D D C T A G E W G W J A T V Y Z Z E
V F K G H I J H F N K R P A W M Y S W N
R V Y S Q I N Y U P F I H Q E D A D T U
U U T G Q G T G U P R T O D J V W D B K
X H N S Y S N A G H F I Y R E T T O P U
Y L O N H S E I B O E N S M L S V I M H
C N P T I H J M K G K G C O L O R I N G
A N G G G N Z U A I Y W E S D G L M M I
E G N L P B G W U G B A W S G O G Z A D
Y N I M K G T Z L C O I G N J N O O G C
Y I T Y B J K G O S M E I U I K X B I B
G W N T U W U O Z M L D D W M L X R C J
Z A I C M M K Y I Q A C E I V R D W I E
S R A Z N I P N A E X S B Q V L R V U A
K D P A N Q G I R A P N A K O H Z I K Y
U T S G H B X C W P J V F B T J A M L O
```

BASKETBALL	DANCING	POTTERY	SWIMMING
BIKING	DRAWING	READING	VIDEO GAMES
COLORING	MAGIC	RUNNING	WRITING
COOKING	PAINTING	SEWING	

Human Body

```
U T T V U N W Q T I O T V L Y H N H I Q
T L T L T O W I V V G K I D N E Y K V R
G A T E B F N P X C Y F U H P M K Q N T
O T A L P Z V C K H F X D L Y I X S R L
J S E A K E E O S I V U X F Y N F F A X
E A R V L I G A M E N T L H Y T W D O Z
T N C E I G V R Q K G A I D C E R G Q F
D W A G T B N K S A S S D C S I W Q C
A E A V T V N O Z I Q C I U Z T S R E F
E O S J F G T R S A H Z A P T I T W M K
H K I A Z U W L I T C A S L I N X O W F
E V E S N I K S D B R J L U P E A Q F P
R Q E B G M E B Z H L I U D K S Q M E E
O Y N A U Y M E R A A F L R J Q A L U W
F X K S E T I E Y B D V B X T O C E X X
B V C L U M A X B L W O S R L I J L U O
A L I F J L F O G B N R N T V I K Q K J
E D Z J V V Q X R S R P K A E L P Y K H
O E J Q J J W H O H M F L J Y A R U K T
L N E M O D B A O Y T C U Y S A V H P F
```

ABDOMEN	INTESTINES	MUSCLE	THROAT
CLAVICLE	JAW	NOSTRIL	WRIST
ELBOW	KIDNEY	PUPIL	
EYELID	KNEE	SCALP	
FOREHEAD	LIGAMENT	SKIN	

Ice Cream

```
D M T T U Y V N J H O R C B S L C K H Z
L C S N E P C P B I G E G D U F R C T P
O D H I O N A H H G O U Z S G R U U N E
C M E M Z X N C O F T G O Q F M U T C F
L Z R L X T A X E C J O D D E A G J Z L
X A B N W T Z E F E O W T L E O Q U D F
L Q E X S M F M L Y B L T G R I W C W S
O Q T I J F N L L R L J A R Y C K J K X
I X P O O P Y Y H R A H B T W J Z O J G
N A F C R B S Q D E C H D Z E P B F O W
K S M B E M C Q K B K E V D Z C P U C C
M P J A C O N E P W R K T A O D H L L Z
F T N Y L B G G O A A L B A N X X I Y B
I S M V C V J J O R S A K E L I K F P F
Z J I M M I E S V T P O C I W O L L Y
S E L K N I R P S S B O W L M B C L D S
O Y F Z R K W K Q N E J J O O B X O A L
P R P N C U Y Z Q H R P X R D K Z U H B
P R C O D G Q U Q X R T E X A C G M T C
S O F T S E R V E M Y O U L Q C J I K Y
```

BLACK RASPBERRY	CONE	JIMMIES	SHERBET
CHOCOLATE	COOKIE DOUGH	MELT	SOFT SERVE
CHOCOLATE CHIP	CUP	MINT	SPRINKLES
COFFEE	FUDGE	OREO	STRAWBERRY
COLD	JELLY BEANS	PISTACHIO	VANILLA

In the Kitchen

```
N Y X X D O H F U Z T T P V K W F N Q Y
L E R M A Q D A R B B B O M E E M J D U
N I V P X F A E P U B M T I X T I Q L F
V Z O O S J X R S R D B J Y A S C X O Y
W Q E B H Q M I J A O S L A L G R H H K
V Y T S X M L Z W O E N K V O Z O U I U
B B B U R N C X H U U R M E X P W Z Y M
Z S Q M R I T S U G D E G K U J A T O F
R O E Q B H I G L A Q G R F W S V Y L T
I W Y A Z V P R B S H O L F D T E E S P
B U K M B K Y Y F Z H A R C N O Y G M C
G E D E E P F R Y S V K E M Q V E T B F
T X D Z N F V N Y O W Z T W Q E T Y Z W
R M E A E Z Y P R E E E J Q B A A Z P C
Y H B K B R O I L E E W E E B D N G X V
I Q O S Z Y Z A R E S H X T Y H I F O B
B M Z B S V S F O T S A O T E M R N J P
S I J Z A U X Y M S Y K N Y E N A W J Q
V H H D M E T F G K O C V L I Q M G J W
P E K C L U T S K D Z O T P G D R L P R
```

APRON	DEEP FRY	MELT	STIR
BAKE	FLAVOR	MICROWAVE	STOVE
BOIL	FREEZE	OVEN	SWEETEN
BROIL	GREASE	SMOKE	TOAST
BURN	MARINATE	STEW	

Insects

```
E Y Z Q H S I S I O R B N E U H Y X L Y
S L J X D H Y G I F O M A M M P P S T O
A F E A E L A G R A S S H O P P E R E X
H E M F L K R A M M N H T O M L U V Q W
R R A Y T C W L X R A L F Q S R A X G W
R I N O E U B G M C R G V I J N R C A D
R F T W E W X U R N O P G M U Q H H C A
A P E L B U T I T T P O P O N A W R T D
V V V U H R C E H T T A Z T T D C Q C D
H Y O Y P K D W N I E Y A W A G K B V R
X C V Y E K M N U R B R A U D Y C M N A
V Z A T P R T Q O G O D F S Y J R B S G
B X N O O T S C Q F R H Y L A T Y I S O
Z V W W R O Q H E O U N Q N Y H O D R N
N F A C M K C H W Y A T Z W K C B I K F
Z R A Z I G C Q K B T E D Z X U I L T L
J L L Y I K H O R A L L I P R E T A C Y
I Y T P Q O I M C F N H V P K C E B E E
B U J B L N M Y A Z C W K J G G B P X X
N L I D N Y N Y Y J P P S D K J R J U F
```

ANT	CATERPILLAR	FIREFLY	MOSQUITO
BEE	COCKROACH	GRASSHOPPER	MOTH
BEETLE	CRICKET	HORNET	WORM
BUTTERFLY	DRAGONFLY	MAGGOT	

Irregular Verbs

```
J W E K L J K Z A Y P K J A X N F Z H M
Q E M E U R B O A U B M D I V B L W U N
D K U B L E E A P S R V Z U E J J O U R
U O L D V F U J U S P Z R G J R S N I J
Y Y J X R I D E M X A X Y I O Y N K B T
K U X R E K O S K G R E Y I Q U D S W S
E K A W A E M Y P X T L A X R U I P K M
V E G P Y I H W W M A D A T Q N I N S Z
H X E Z F E O E I C K A U S B A W T C Y
W B T G L R D E K J E O V R K E S A V L
G J I C R O P W Z A V P E Q L J A I R G
C T R U U I O U A V T E S H R I N K M Q
G D W D J L N F S X D S Y E K A F Y G Q
W A D Z B H B D V V S G I D W M P W N P
Y L N H S T T S A C A H L M V Y M Y Y Q
S E A B F S T P H C C O B D D M Q B L A
F A H K A J P R I A S M B I C A C T B J
Z T T T A U R U J E G A Z G N N D T I Q
W R V T H Z F F W N R L S O A L G G O B
V U Z P R U P E Q Q N N G K J I C O W G
```

AWAKE	FLEE	KNOW	PARTAKE
BLOW	GRIND	LOSE	QUIT
CAST	HANDWRITE	MISTAKE	RIDE
EAT	INBREED	OUTRUN	SHRINK

Jobs

```
A S X K A Z Y J T R O T I N A J R C V N
Y C B F A B O B K T J K T Q B R P J V E
Q W C Q T T S C B R E T H G I F E R I F
B X J O R V S H J G K M T Y M Y D U B A
C D O O U E Q I H A R M F Q U Y U R R O
N R Z E B N T Z L H Q J G O Z W X E D T
Q E J M F A T I L A Q Q K O L E C O N L
E N O P L K N A R Y N Q G Y J I Y R M O
E G L L Q Z O K N W N R D I F Z I E U W
T I C U M N G S E T A E U F A L Q B R P
E S D M G R N C T R N N O O G I B W R A
L E H B B A X E P T D E E K J W C F Y D
H D F E T E A E I L C F J Q M Q L G C L
T I W R G C I S I I W O B O I P T D Q U
A B I D H D T J L N A G W N X I O D E M
C Y U E M L D O C A R P E N T E R O E U
C J R Y Y N P H R E Z C Q Q E X Y C J C
U A N Q H X Y T N O T R U H J Y B T R H
B R Z E Y V B A A H O V C G O V H O Q I
V N L A W Y E R D F A J M O P H I R U M
```

ACCOUNTANT	DENTIST	JANITOR	PLUMBER
ATHLETE	DESIGNER	JOURNALIST	POLICE OFFICER
BANKER	DOCTOR	JUDGE	TEACHER
CARPENTER	FIREFIGHTER	LAWYER	WRITER

Land Forms

```
X X N X J C P C M O U N T A I N U H Y E
A L M X C N C H G Y O T R O X R P P K B
R N P Z O I V H K Y W D N A L S I J K R
Q O H W H I K M T P O W S R D E X W D Z
U O K T X T X J C I I P I T U K K B I Z
D G T E V A P G W F R I S Z Z B B V V Y
F A U L J L G A R I A E C Z A C Z O I B
I L G A J N P E N E R C A Z F I Z V D L
M I G Y S N R G H S B U B B G S T M E H
R B Q U K O R H P Y S E G M B A D I R U
S U F C H N S X F U N A C U E M S F F T
I Q F S S Q Q P B Z R E R I T K W E H E
S Z W F L I V Z E D B F U N J A A I A U
A F L U S T T K N N Y K Q E F V L L T I
O E N A U U N U A Z I Y K L D L P K D N
C H M O Z X T Z L A N N O B Q P Q M U C
W Q O Z M T P U T T J J S D W S L E N D
N O Y N A C E J Z A G H L U B F V S E B
J H F Y U B P O N D A Y A P L C Q Z R P
D D E Z M U A N F A M K T M D A Z M F K
```

CANYON   ICEBERG   MOUNTAIN   SEA
DIVIDE   ISLAND   OASIS   SHORE
DUNE   LAGOON   PENINSULA   SPRING
HILL   LAKE   POND   TUNDRA

Languages

```
L K W M A Z S K N Q Y P J W G W T A S G
B L V F A Q E C F A D I F E K N N K F R
X S N L X K Z D I J E C T M P P G K K B
W D N A I N A R K U H R U W Q M J B Z Z
Q S F J E A Q F K I E S O V G E R M A N
J D V D S F U J N X Q B W K F S S M G D
H B B B E G U E W K U L P T R P H U W N
C W D S N D S K Y L F Y Y X E A J C M B
T V G R A E H U G T H Y Y I N N N O I K
U W R S P Y K A Q S Z M O D C I Q X S S
D X T U A X R D I B W I B R H S A N S A
Y L O O J I A L T D E A E M R H K O X K
Q L X X A S G K U Z Z I S Q V E C Q D N
T G R N H N I D N I H K O B E Q C U Q Q
Y K N U E S P Q O Y B A P R S B H X S D
W B B O S Y I U H J H A G G K L S P Y B
O T K D Z S O D X P O R T U G U E S E H
R Z N O A F I P E A P W C I F M J N N F
C T W N Q E K A K W B U R H K W L S X A
H F U V K K J P N J S Y B M V Z T J W A
```

BULGARIAN   FRENCH   JAPANESE   SPANISH
CHINESE   GERMAN   KOREAN   SWEDISH
DUTCH   GREEK   PORTUGUESE   UKRANIAN
ENGLISH   HINDI   RUSSIAN

Mammals

```
V L V V F G Y V A N H O A V X U F A U Z
A N F U E C G J L M O K F K T C I S P U
B E M A H R J K D R Y O T G W B R V E E
C C S D N A Z O A Y X P Z M P S N V K V
K Q G N W L L G V F P P X C A M E L C J
C E O A R P N A I E W O J V M V U W X N
P J B P H A R E T S M A H R O S W U N V
L J X I K E Y K D E R F W P S A F B T N
X Z N O D Z H S C H Z A W X F W H D O Z
S W J H B X J L J H T Z U M A I I K D A
E J X O I B Q Y Y L R O Z G M X F Z Y C
X P G A B O B C A T K R G Y A L E I G R
U T F O Z H R A E B V E K I E J R O R A
Q W V W X N V L E W V V O N R A D M R B
R R W A G C H H M X Y A M L I A B S H B
O V L H V M I H D Y H E U V L E F T P I
Y T I O P L U N P X V B W U I Q Q F I T
Z O U N Z W E M L T S C K L O W M K E V
T Y L A W J F A E O U T H P N B X I O P
T Z Q W A O I H N R D S R U F J J B N F
```

APE   CAMEL   GIRAFFE   LION

BEAR   DOG   HAMSTER   PANDA

BEAVER   DOLPHIN   JAGUAR   RABBIT

BOBCAT   FOX   KANGAROO

Math

```
R D D D B D R C A R I T H M E T I C T W
W F L C L E O Q I L A A F W P D T V X E
E U N C V N T U A R D H E D H W M C C H
E L F O R R A R G Y C N E V E X I J P A
S S H U E T L I I D L W X O I A A J P
O C R N T M U E S J S C E U A B R G O A
C E X T A N C N R J M I Y Z T G W G X F
W Q H I E F L M U E C N E R E F F I D O
C T C N R C A F Q Y P Z O D D A E X M M
M I V G G L C X O T R R U H Z E U V O I
L U N J L A Q H S E O U I D W J S Y P A
C V I E H R F S T Z S J W E E F U N Y K
R L V Z Q H A A N I X X X C A H K A I N
M P Z H Z U L E X O B G X I P N Y R N L
N F Q K Z U A T N T I E C M P Z B G T S
L Z J T C K E L W I O T R A D G D R C X
O B X L X E F E I W L C I L X Z M T O P
R A A P N F N Q N T X C O D R O W J B Q
L C W I V T M D B B Y S F U D K J B K V
O T X S Y C V S O B X E E D Q A K V S N
```

ADDITION	CIRCLE	EVEN	LINEAR
ARITHMETIC	COUNTING	GRAPH	ODD
CALCULATE	DECIMAL	GREATER	SIXTEEN
CALCULATOR	DIFFERENCE	INEQUALITY	TWENTY

Military

```
G I R N M R M M G X D K Z M K O B Q U F
I E M U G P O M Y B I M I S S I L E X Y
D A N Z N B H B H J C C I Q P N T X O E
A K E E D I T R A E H E L P R U P C P C
I K G T R X F W B O U Q O Q Q N V T N A
D H O L K A G O U J B N D D C S M O D P
A O S P A G L P R U Z X M J R E V F G T
I A I R C R A F T M C X F U I R V W V A
Q G Q F Q G D W T Z R X W C Y G J G Q I
D O K C J A P E E N Z T B J C E S G J N
L P V N D F L N R J A V L O X A J R F T
E F R D N V O E Z A V N A S N N I K Q W
I T I D P P C L U P D S E G K T R G B Y
F B V G A I C K K N T A W T H W B S G Q
E N E E F C Z X Q G M M X V U Y H U J B
L W W F Y F Q S U B X F I T O E N S K W
T Q O N Q O J A Y C N W K I G O I T U N
T N T K Q U R Q E V P F U N E V K L X D
A J Y H L D D Z E Y A O D U N K F G R I
B Q H H V T S O Q C F N R O J A M H H S
```

AIRCRAFT   GENERAL   MISSILE   SERGEANT
BATTLEFIELD   GUN   NAVY   UNIFORM
CAPTAIN   LIEUTENANT   OFFICER   UNIT
COAST GUARD   MAJOR   PURPLE HEART   WEAPON

Money

```
X P W I C O Q J B Q J C Q R D T K B M E
H Y P R U G M V R S Q E D T E Q W Z Y W
G T F C A W M F Y A W N Z V B Q W E K C
N R L Q P L B S J V W K Y K T M F D X C
U A B A Q D L O Z I Q W G P H I P B Z G
S C U C E J H O Y N E H D O R O Q X Y Z
Z E Y I C W B D D G X C N E R G I Q M P
N I O C T I B F H S T Y R T E H M R O I
Z S V E J M F E M V K O F E Q Z Q M N V
E R Y P N T E Q L M L O I G D X Y T O W
W L M B K C D G D S L C G T O I J A C N
I I L R N N X K T I W L W O J B T P E Y
Y W T A C D H O O E X X Q D V T L O A N
Y O N H U C C Z U R L G N R X L K C O J
E I V P D K Q R R Q A E J A X F I P O R
F E Y X S R T Q D A P U O R O T P A L D
Q E C O V D A J O S H Q X U P O J Z D S
Z V T T R V F W B A N K R U P T I A F C
I E M Z P A H H W A H F H L H S A C L G
E Y X E H Y O M W X T K V R O K E M Y H
```

ATM
BANKRUPT
BITCOIN
CASH

CREDIT
DEBT
DOLLAR
ECONOMY

FINANCE
LOAN
PORTFOLIO
SAVINGS

SPEND
STOCKS
WEALTH
WITHDRAW

Music

```
K H I U N P N L N I R V A N A H X Z U F
Y M M C U C P I M P D P E X U D V V S V
I N E R P Z E T Z L T B C H V L B Z Z Y
R J N O I N I D W Z D W N M Q O J V V M
Z I I T F H D H U Z S V O D H X A E W L
S U M E D F A O M L N O Y C A U Y Q X Q
N O E Q P X G N Z Q R V E I R L Z T R V
B S F G O S P M N U F E B K C A L O K N
F U X H H I Y C E A Q P T I T Q G A N U
A Q P P D N D U E A Q G U N T V O A B I
K T E K N A Y F J E F U N W I R B U F T
T J K L C T W X N G C I T T T L Q S T P
E U M R F R Q L C A A Q E S B J L K R Z
K K P W G A L O N N R U E T X A S S A B
Q Q X A T H M T C U D A W L J F Q N J T
V N K O C P H N T F M T R E C N O C L A
S P O Y O E F J R Z U J Y C F I Y S T V
G H U S M W D P N E S G Z E L A N I F I
V H E I L A L S X D U H L K R B J J H G
I R C H O I R N C H Y V A J Y N O K W Q
```

ANTHEM   COMPOSER   INTERLUDE   SINATRA
BALLAD   CONCERT   JAY Z   TUPAC
BASS   DUET   MAESTRO
BEYONCE   EMINEM   NIRVANA
CHOIR   FINALE   RIHANNA

Musicians

```
C Q X R F G T Q E L D Y A Z V N U J C U
I O W Y V H F R E J L T V N X D F E H X
R I X W A M G X Z E K W A F N J R Y V W
T F U S H E R H W O R N V M C O C A L H
P L A O S N Z C T N Q F P P Q V D P K J
Q R N N L V G Q S Q I H V T M F V A A E
X O B V G P R I H A N N A C S G R D M N
B Y L O X D N A L A B M I T F A E D U V
Q B D X J Z K K J K P J Z M X L U G U J
L N J X Z B V T N B F Y E Z E Q D R A C
K Y Y V P E S W B X N M L G S A D L M
H N B P J Y I O E A I C B D F V A T H U
J Y J S O O R F L M N V N W X K A Q C J
D A E H A N C O E Y G I K G I R P Y Z K
I H V O Y C A F D W W W J S M L N Z A Y
D H B W P E D O U A I Z S U Y H B Z V Q
D M Y V U D L K T K Z O L V Q Y N K I
Y K K X D Z L M B I U K K N Y J F O Q Z
D F G K C G N I T S V R K E L X S K P Y
G Z Z U D V J L R V F U E Q V C N A X N
```

ADELE	DIDDY	JADAKISS	STING
AKON	DRAKE	LUDACRIS	TIMBALAND
BEYONCE	EMINEM	MADONNA	USHER
BONO	FUTURE	RIHANNA	

Musical Instruments

```
H X S U B Q V Q F H U Q G S X R F V M H
X K S X S Y C Y Z T O Y N H Y K U G S M
B Y G T S U Y S P I P E X D L G J M W J
W S A N I L O I V Q R R S Z O T P F O L
K L L Q R A T I U G A A E V P X F R J J
A D G H P J U O S Y A Z G L H V T S N X
Q C C I R K C E V R F W T O F H T A E
M B I F V Q A L S W M M J N A U W B L
F N P N N W D F A T Z H O H E B J W U E
P F L J O D E X W N W H O L A I P U L L
J I L G I M O Y K I C L A R I N E T K U
J T Y F N P R F X E M D X O F R J H A K
J O M R H O H A P V K T Q V C N Y S T U
Y L A O A F G I H V D O T A C E S R N D
U R N D L H P S O X G H R R V W G I O R
F E X G B G P H Z U M G V I U S K V B U
R F O M A I Y W J Z E H D F Y M E S K M
U F S B Y Q Y K I N Y Y E G J X P D P S
Q C M S L E K S W K J S M Q N Y J E O L
H J P A R N D H E X L A S O J G O P T D
```

BAGPIPE   FIDDLE   PIPE   UKULELE
BANJO   GONG   SAXOPHONE VIOLIN
CLARINET   GUITAR   TRUMPET XYLOPHONE
DRUMS   HARMONICA TUBA

Boy's Names

```
D K V Z K X Z M I H Q R R W T B F E Z K
S V E X D H K J O A K X U F Y P D J Y E
M E A Q T F E V I G P Z L A L E A A B W
A K W I D L I N C B G S T X E G T O M C
R U D C M L V J V V G P M K R A M Z G R
O L M D I V G X D C Q Y F G Q E F U D H
D H O X F T N J X S H X N I M A J N E B
W X R V I P Y B F O K D E R V C R L R T
X I S V I N C E Z D U T E I R J H M O M
T O L E B S D B G D X H R I Z V C A M B
H D B L L U Y E J H P O G D P I F V W R
O N I S I A K N U O B L I T R C N F U E
M J Y V M A D O T E Y G L E K A X W I C
A A A P A V M S R Y R N R V Y P Q G A N
S C T M J D I T Q Z O V O R C Z H X P E
L O M A E R N C B H U H T H Q X Z T H P
L V S S H S Q X G J S P K D T W B P Y S
L O T C V K I U V E V Q R B R N G M S A
N U I T B A E W S Y Y L A C N S A F M K
W G K Q M G B T O N Y W M T N I V E K P
```

ANTHONY	ERIC	MARK	TONY
BENJAMIN	JAMES	ROBERT	TYLER
CHRISTOPHER	JASON	RYAN	VINCE
DALE	KEVIN	SPENCER	WILLIAM
DAVID	LUKE	THOMAS	

Girl's Names

```
S J Q T G B L Z W T T C K F L S C N H V
E N F L E Q I K Z K V O A B J F C A T K
C Q Z A T Y S R I D V X M S O X R S N P
N G A E Y R A F M X G T S E S A D H C S
G Z G S G G K D G X H O Y A S I C V X L
D P P V F Z E V T J L L A O M A L Z P I
T A O O C B I U I O B I J G R A O L B R
I T O A B X M Q C X Q C N O N R N J E G
F M Y I D I S O U F Y S L D G G Z T R M
F X E Z S J D X W P A K K C A A A O Q H U
A Z D D T M O U G S W A C Y C U N S S A
N G E Y W N H R V V U L I J A H V L M
Y F L H N I Z E Y W N C S V S B F R O X
A H A N N A H F E T D S I C O F H N D Y
P I U M K I B I L E E G W R S V H T H U
V T E T S U U N H J I L D U A R U A L M
I M C N V P S N S R E L D P M X M H N P
J T A Y L O R E A K G W U V A G B L E U
D K G M X V Q J I X S S R J R Y K W G P
V E R T H F Y A M B E R O A Y A C R Q H
```

AMBER	JENNIFER	LISA	TAYLOR
ASHLEY	JESSICA	MARY	TIFFANY
CAROL	JULIE	MELLISSA	
DEBBIE	LAURA	SAMANTHA	
HANNAH	LINDA	SARAH	

NBA East

```
G C J A Y V P I N W Y W M S R E K L Q N
V A P S K C I N K T K B I R D K L S T M
W D L G Q V D N P O T N H N V B T B S C
I E J B K H A O W Z H O L E G M J R A T
Z V O N M M E R H J R X H E A T E X T T
A U G U B X X K E A N J F B M Z C Y A K Y
R D X E B I L Q E P D D E D A B W X A H
D Q Q D S B K T W A T R T P H J F E I X
S R Z K K K S B W S Z O S M U D U G S F
L J K H W Q S U S W I T R T Z J S I F L
B M Z L A C R C S W N J M S E P I O K M
N K R H A E K S N I M E S S N A A A K
O N P R S D I S D G O H O M R C G B I Z
D C J L E W L M W H H T J S I C U C Z Q
I S H V B I A K O B K Q S G X L U M L C
U T A I O Y V S L H A G A I L N N C O T
K X F L J U A E N V V M D S P Y X I R J
B Z D T P V C A X J J Y Q M R J H R N R
B R O G C E L T I C S U R X K P N O T S
Z O E P G T D T H Y S F C A Y R O G P I
```

76ERS	CELTICS	KNICKS	PISTONS
BUCKS	HAWKS	MAGIC	RAPTORS
BULLS	HEAT	NETS	WIZARDS
CAVALIERS	HORNETS	PACERS	

NBA West

```
S W E E J X W B K C B O A P Z J N S G Q
E M L T K C D R I Z Z A J H C V R R B G
V C J U H M V P F H X U Y G G E I X G V
L R E D E U S R O W R C N X P Z C I J Y
O O B M Q E N A Y T P N O P Z H C K D P
W C G S I K H D K H U U I L J F J Q Y Q
R K B F X R Q F E G T L I Z N F C A P K
E E J P D C S G R C E K P D Q X S G D
B T P S Y Y N E R P S M N O M W Q B I P
M S S U F T Y C R G O V F W I G Y Z E
I P Y K I S U Q P V A B V D Y Z M W U L
T H N D C H Y S R E Z A L B L I A R T I
M T Q S L I S X C I A P M B D Q Y A U C
X V N V S H R R B S T I M M W D B T N A
B U L G D W F E E G R Z K L H P X L C N
S G P N A N S U V K L T Y I M C F V O S
J O O R S P U R S A A M S X N Y V D R L
S X F I F R V D C M L D V R G H W Q L
N R B J Z C P Y X L N O S V Y G S B Q N
G O F W A R R I O R S F W T U V D C N N
```

CLIPPERS   LAKERS   ROCKETS   TIMBERWOLVES

GRIZZLIES   MAVERICKS   SPURS   TRAIL BLAZERS

JAZZ   NUGGETS   SUNS   WARRIORS

KINGS   PELICANS   THUNDER

NFL AFC

```
D U I E U E U R G S I U O A U V G E O T
J J A M Q F C U Y I R D A M B O G O A W
Q T Q I A T E A F O V E B P Z I Y D I J
F J Y S U K I E R X K Z L E L E N C Y S
G A R R S P S T R Q H J P E N M K P K T
N M A E T F X E A T J A Z U E G K R E B
T V D D L J B C J N T E D P W T A O A T
Z D N I O E L G J R S R J V E F S L H S
I J H A C T P B I B B R O N C O S C S K
O A U R O S Y O R O J Y B N Y N M W H F
O G J K Z D T O Z V D S F K N W W X D K
E U T Q X S W X E H N D A C R W F F T J
S A B B Z N I U Q I J S N N K U R C E X
X R S T S F T X H Z N G O B B B P G X Z
O S Y T K X S P D E E S R E G R A H C Q
L F M F Q S L L V K C P L M C O Z B W G
H Q J Q H O K A L F A C B V U R D Z J C
C F N G D K R G U I O A M R X S X S Q I
E G S N A X E T I B B Y T C H I E F S C
L F G K S P O V E T T Y S H O E N V R Q
```

BENGALS	CHARGERS	JAGUARS	RAVENS
BILLS	CHIEFS	JETS	STEELERS
BRONCOS	COLTS	PATRIOTS	TEXANS
BROWNS	DOLPHINS	RAIDERS	TITANS

NFL NFC

```
G S V O V Z J U Q R R E P O T N B W M C
Q L F L Y I D I E F D Z D S N O I L H J
G A L G F X K D V Q Q J X O C C J Z V D
D N J T N M S I D X K H S X M S T H G L
O I E W E K H H N S W D I F C K R D J C
S D D L I E P P N G O P A C K E R S I A
R R O N R J U O B F S D A H N G C T T G
A A S S Z X T K O X B N X C Q M P K S
E C R R Z L U P C Z E U N M T P F K W D
B Q P G A S G A P E B P S C S L F H G B
D O F F T Z T N F A V B R K O Z K A L O
C H W N W E Z T G G R E B Q W W B K K V
J W A I H D Y H S L L T M Z Z A B N V Y
H I E E D V P E Z E P D W F M C H O W D
G M I G E R X R I S Y T V P S S X A Y Z
N S U D M J H S S A I N T S B D M E E S
S R E E N A C C U B L U Q B T H L A R S
Z X K H I E Q Q O I U N F R M L C V R A
Z H S Y N A X U N I X X P I M V Z M V W
U G K I Z T C R J Q W S U L M Q E P I B
```

49ERS   COWBOYS   LIONS   REDSKINS
BEARS   EAGLES   PACKERS   SAINTS
BUCCANEERS   FALCONS   PANTHERS   SEAHAWKS
CARDINALS   GIANTS   RAMS   VIKINGS

New York

```
O M H K N I C K S H R Y F T Z Y N I Z V
R J W A K U T E E R T S L L A W E P E M
M A U B M Y K N C E O A Y M P J D R Z U
U Y J M R I J C E G O T B Z H D R Z D V
O Z E U W N L L W K L R Z O L Q A Q W G
X M N R F Q E T L G O N Z K U L G A S C
J M R C A K B Y O O A P B V N G E J M W
F Y K F I U A I K N V W I U O P R M A D
H Q K P E W Q L G P T U S K S Y A Q N W
H K S X D C Y S V A P K F R D B U M N H
K W K A N N Y X S Z P A O X U G Q J A E
M J O T O O B U I E F P K P H N S Q T C
Z R S Y D S R M M A M O L K C I N F T K
B B J G M H A B V H Q I F E X U O I A B
O D P S E E K N A Y M X T D E U S L N P
S R R P R G S C Y S I L M H S A I W J A
W C E N T R A L P A R K Y T M G D U P P
A S C B P J L U A V U A A Y C V A P E D
T C L X C T X A U I Y X N Q S W M V A P
F N T Y S R H Y M E I T H O A I O B Z H
```

BIG APPLE	CENTRAL PARK	KNICKS	TAXI
BROADWAY	HAMILTON	MADISON SQUARE GARDEN	TIMES SQUARE
BRONX	HUDSON	MANHATTAN	WALL STREET
BROOKLYN	JAYZ	SPIKE LEE	YANKEES

On the Farm

```
I D T P J D V R B L Y C K P B L N Y X K
J Z X J K S P J O F Q I S E R X Y C R S
V C X B I G W V I P S N C Y X S Y B U U
B N V O E L T T A C C S A R Y Q T Z P E
K O E Y E R B C C D N R R S Y L S G J P
T P G K I Y B F S I E S E F E T E O F S
H V M X C L V F D X W K C A P E V F B R
L Q Z X F I R F J F E U R R X M R Z D H
U V P N U O H D E Z I Z O M C U A K Q C
H C H U T X Z C Y Q L K W E E A H G A L
C S O C R E T S O O R B K R P B C S I U
O V A T R Z P D P Z L P H M W Q U R F M
S R O W J A G R I C U L T U R E R V Z B
T Z E K I L N U A W M V M O H I W R C D
C P S K T N H B U R X T T I G O Z Q Z S
P A P P U O D W S F C D C A L R Y X T Q
H N Z B O J R M E H G H T Z E K U C Q Q
H M C N E R Z W I O A I E R T D C U V O
V Z F P R A C I A L O Q C E C Y T B S W
I J H L W X J T J N L A U H S O I L H D
```

ACRE	CROPS	IRRIGATION	SCARECROW
AGRICULTURE	FARMER	MILK	SOIL
CATTLE	GOAT	MULCH	TRACTOR
CHICKEN	HARVEST	ROOSTER	WINDMILL

On the Road

```
Q L A D N R L P C O I J N K E F I X Q O
G B O T X C N J M N S L R L I J P U O Q
V F X O F H V Q M E D B P S B O Q G A P
E N Z Z P H A E B I R U G P L G V Y Y G
C L L O O R G U N S I I Q E T L T L A R
A G C E N A A T B P V Q J E B G K B X S
R U W T R E E C J Y E R A D L U R H Y U
O R J D B R S S E P W M F L F I X A A L
Y P A T S H O N A V A C H I A W S H W X
Z O Y T H T O R E G Y C T M Z T F R H T
R A A U S O K S G C R Y V I I V K U G Y
W T H W L E M S M C I E Y T G N I M I Q
E F C I F F A R T G E L E J V N B V H E
X O X K Y A P F A S T L S N Y Y Z L E N
C H O L D T W Q V Y G M G R L L Z U Q I
N W C L Z H V U P S N B N Q E I D T H L
E M X T H G I L D E R G Y Y X V G X X O
P G B C W V R Q R M Q O O P X W I H H S
T Y E L L O W L I G H T C J Q Q S R T A
I F I G T H Q A L B W K T G A V I Z D G
```

AIRBAG	FAST	INTERSTATE	SPEED LIMIT
CARPOOL	GASOLINE	PARK	TRAFFIC
DRIVERS LICENSE	GREEN LIGHT	RED LIGHT	YELLOW LIGHT
DRIVEWAY	HIGHWAY	ROAD RAGE	

On the Water

```
T L J B S C X L Q T D T L B V A V Y Q X
Y E R H D M P T A O V P I I W Y Q B C M
Q E F I Q S P S R G A W N Z A X B U C U
Q S L L B P L K T W C W T T N E R R U C
G I P T A N J C W T A I E S J P O J B Y
Q U P U A G H T L X J H R E F V S F O S
R R L M M O Y I J W R I N S Y T P B S B
J C B C S F B H X E F S A A B C I W J I
G B K E M P P M T F P N T L R J H W P X
G I F N C Z O A A E M V I I Y U S Q B O
C S C I C U O F E E S W O U K N E B J I
C J J R R B O D G E T W N L A B L X F V
S V L Z L S B X N Q E S A S Y M T C Q U
N T E I C O T G O R R H L F A E T Z A D
K H A L A L I M C W J K W E K M A X I K
E S W T O N T V A B I F A K T P B J F G
X N L S E S E X M T Z M T W P A Q I A M
S C A N I A T P A C E C E G T S R S M A
L D Z P A S S E N G E R R O V V V I Y V
E C Q H P Y E M O T O R S Y T Q J U P P
```

BATTLESHIP	CURRENT	INTERNATIONAL WATERS	PIRATE
CAPTAIN	ENGINE	KAYAK	SAILBOAT
CREW	FIRST MATE	MOTOR	SPEEDBOAT
CRUISE	FLAG	PASSENGER	STEAMBOAT

Oscar Winners

```
R M O O N L I G H T Z Z B A Q O D B M W
E O X J H U K L O A U M P J P K H A D M
K A D B A P U F V N A M D R I B P A E I
C S L U M D O G M I L L I O N A R E V L
O O C W P K O T S I L G C E B J L Q A L
L C G X R R Q Y Y W Z B R Q H N S V L I
T R E R S G N I R E H T F O D R O L S O
R A Q V A C G P X S I H I V J I L Z A N
U S W D I J H X J H O Y E E G M O G S D
H H G A B E A U T I F U L M I N D L R O
N E M D L O R O F Y R T N U O C O N A L
T M T Y X N K M V Z Z V U S G C R T E L
H V H F J N L F L E I W J V C H O H Y A
G S H A P E O F W A T E R L T I T E E R
I R P F A X V J K Q M C E O A C A A V B
L E L E W A G J G X W Q V P V A I R L A
T N B R F U Q J F I Z C V E N G D T E B
O Z I A D E T R A P E D E H T O A I W Y
P H Z S Q W I N U E P S J Y R G L S T B
S R U O E H C E E P S S G N I K G T K J
```

A BEAUTIFUL MIND	GLADIATOR	MOONLIGHT	THE ARTIST
ARGO	HURT LOCKER	NO COUNTRY FOR OLD MEN	THE DEPARTED
BIRDMAN	KINGS SPEECH	SHAPE OF WATER	TWELVE YEARS A SLAVE
CHICAGO	LORD OF THE RINGS	SLUMDOG MILLIONARE	
CRASH	MILLION DOLLAR BABY	SPOTLIGHT	

Out to Dinner

```
X W S V W F S S E R T I A W Q U B G E J
Q Z F L P I T E D Q N D C V T Q J N C X
U X N A C Z G C D F E U N V P W I I C C
Q J V R D T Z Z L O O R D E R F I N K C
G I P O I T S P F E H X G O H T S I B T
X H Z H O S T E S S Q C P M Z X W D Z G
T R E K W M E K A W Q V G H A B J Z L K
R E T G D H M G K D C S T H A L Z Y P L
N T U N H V E P A O P O F R T J B G S C
V I V A A E Q Y N R L S B Y N O A E L W
R A Q P R V C D H C E P P Z N H O U G Y
T W R K R D I T E E X V A E L R N B P U
A Z S I N M M L A M V O E G C E V T L B
B E B N E G B L I U H M I B M I K H T W
L Z W N J A T H U E G C I C C U A Y V T
E W T P T W F P Y S M W L Y D D W L V V
M S C Z E I V Y N C T S X R E A R G S R
Q C N X E H X O M A G E S D J B W V L E
C H K Z Y G W B A J Q I A O E O A N D J
I Y B L O N F O O O J U R K I Y P F S R
```

BAR	DINING	ORDER	TABLECLOTH
BEVERAGE	HOSTESS	SPECIALS	TIP
BOOTH	MENU	STEAK	WAITER
CONDIMENTS	NAPKIN	TABLE	WAITRESS

Pirates

```
K A H E W Q J B O W V G M P X Q J D C Q
R Y O H A G B O O T Y Z G X C C J O R J
T E B E U P I Z B I N R Y O E J J S I B
C H T T M I P Q W J D M H C K U J N M Z
V R C S E M P G M O S N A R B E C H I J
L U G V A M K O E D N V Z Q J T D T N R
K H V U J M L V P C T V E S R A R P A L
R W W C A K R M Z P Y K V E H M S B L V
K F O H K S R E X Z W J B O L P O C X I
R O V L U C G Q T Z W B T E U I Q N G O
C P Q O E M E W G R O K Y R D H R O L F
R K L O M K C D E R A E P Y E S Z P C C
Q Z B T V A P O V Z P U M Z Z A L I M R
J D I W F E R N V A V V Q R C A S E O N
L I N M G K L O T B A U C J N V V U Z K
U E W M V H O C O Z V W T K G S N N R B
U C R U A D H I D N S Q R B K A S D P E
C R O W S N E S T N Q Y M K E J T T T U
Z Z P W N B F N C D R K W C K R J J R K
J B A A N W F T U E Y K O D Z W L L O U
```

AHOY	DECK	OCEAN	ROBBER
BOOTY	EYEPATCH	PLANK	SHIPMATE
CRIMINAL	LOOT	QUARTERMASTER	TREASURE
CROWS NEST	MAROON	RANSOM	

Plants

```
U H W Q W V C N C F L O W E R X C C Z U
J Q L L G F H L S H G H S O B F V E U O
J X M H Y C O M O Q E T E L W M F P W J
W N X R H S C Y O V D D B U P U C R G W
N P P D B X I P D N E E T Y H P O R E X
E O A B D L W S V S O R C B D M X Q W A
E N L F S S R E E H M C A Q M O T I X L
R Q M O P B G Y F H W P O X V U V V M T
G D A I X E V O F T T A G T H Y F V O A
R V T E T Z Y H J H I N Q O R R F C X M
E U E A N N R U C X M H Y B Z D I A Y H
V W B K J A U T F Z K L L S Z D B Y E F
E L L T T D M E A D C F R E O R T S F L
E T O C Y H T R O N I W P I V T U R Z G
U P E Y F V A N H G N H Y C Y M O A Z O
V N D Z F Y J B R C W O A X H A H E B
Y B E V M J U T U X W A X C P D G F P B
Z X E C P O I S O N I V Y T O M P Q I L
N X W T K W O O B M A B U U V D I K S N
E L Y Q J G X D I B C Y C S B Q H O H M
```

BAMBOO	EVERGREEN	MONOCOT	POISON IVY
CACTUS	FLOWER	NECTAR	VEGETABLE
CLOVER	IVY	PALMATE	WEED
DICOT	LEAF	PHOTOSYNTHESIS	XEROPHYTE

Post Office

```
E K L I D F P I V B D G B Z X W W N P C
G I S V T A Q F E F O B S T V S L I S T
A Q C D E L I V E R Y O Q S H M F Q T D
K A K M F S C H V U O P N Y E V G R B Z
C M H T P P E F O F M B D S L R A J Z N
A T G Q O U L V F A K F K U E C D K V L
P D M G S V N I T P F M Z Y K A S D L X
S N Q X T I C S X U S S A I G L L I A N
M T N B C E I M E S K V N I T L O Q F W
N S Y C A G K D V U N G L T L A O J V Z
F U X V R F O L W C M T C J Q M S S Z D
E C J D D C Q C S Z E L J B O S A L Y F
V Z L P P N A F H X G G X O J K Q N U T
X Y L I L W X X O B O P L W P V O H H G
I N Z E X G N W K O D Q O B T R H C T
U K J O H N J R L E P O L E V N E F M F
Z X W E G C X D H Z R J Y T A C O E Z J
L K H O I T T I V G M H C L E R K D X U
I G X G G Q V A O P M J L R D J C E A G
R T T J U W I O S F V J X K E Z O X X C
```

ADDRESS	FEDEX	PO BOX	STAMP
CLERK	MAILMAN	POSTCARD	TRACKING
DELIVERY	OFFICE	SATCHEL	UPS
ENVELOPE	PACKAGE	SEAL	ZIP CODE

Prepositions

```
C X C U X A G J D K C V L B N A H T Q J
Y M U D B O P N X P B K E L K U W D V V
W L Z E P U U C X D S T W I T L O C V L
D G W O N O U W I E W U F N M N R R G M
P X T D R Y O Z Q E Z D P I F C T V C D
Z A E A Z E H D E T O I O O U D H Q X C
K R J A T G M N E X G D K W V E R S U S
W P E U P Z I T V S M N N A N H I V I K
C L C K E Q W H N L O J I O D C A D A F
W K N I C N O M E F E T P R Y S J E T L
G H I L X C Q L B L U T K A U E E T I D
D H S J E F D Y H O Q E W Q K D B Q V W
M J V M H R M O H Z W U W L F M K U I Q
O H S O M S F T P M U T G T M T M C H R
Q I K Q P R I X K P S G P S Y M Z I S D
F N F W H W O O N T O R I C A B O V E J
C S Q O Y B R A E N V S T J S B B I O R
R I M K M C X L O Y B G I L V D E Y Q N
J D X E X P D J O L F I B T Q I O V V I
F E O D X R L A X P X D B P E L W T O D
```

ABOVE	DOWN	OPPOSITE	WITHOUT
AROUND	DURING	SINCE	WORTH
ATOP	EXCEPT	THAN	
BETWEEN	INSIDE	UNDER	
BEYOND	NEARBY	VERSUS	

Presidents

```
P A Y Y L J B A U A A C R Z L M N T I S
H B C E Z Y Z P P V C N R B D N F E T S
A R F N W T Y L E R R V N C R H H J A S
G A K L O Q H V J O L W L T A D Q C J K
O Z J C K S A E E P P Q Q M M O O H N P
O P A I S N K S C T H A R R I S O N W H
J E N E B E M C T R T I N K P B W C M V
A X J U I A K C A A E U O S Q Q E K M H
V Q R Q D L V Y T J Y I V R K N U M Y H
J E L A F K U Q K U Z L P K F E O U D E
N N U Y U W S Q Z O Q I O K T N E S N T
B Z M J U G A L H Q L B T R R N M V H L
U D X E Z H Q S Z D N Q O O O N L Y C L
C E H J Q O D W H L Q G E S V O J M Q Z
H G O B U Z I M N I U P R V Y S K V T W
A A E R O M L L I F N E Y E D I T X P M
N M V F T Z F I W F F G S G S D P E O H
A A G M G X F Z N F R P T U T A Y Y L J
N U M G A U A R E Z X O P O S M B U K X
M U G P C G O J S P M J U Z N F V S W A
```

ADAMS	JEFFERSON	TAYLOR
BUCHANAN	MADISON	TYLER
FILLMORE	MONROE	VAN BUREN
HARRISON	PIERCE	WASHINGTON
JACKSON	POLK	

Presidents 2

```
P G G P N O S N H O J Y I R U W S P F M
T J B G X C L E V E L A N D K T F A T H
H W N G Q C X G E U O J E Q L F U J A O
I F M P U U M G S O J O T Z O L H R Y K
Q V P B F I D A Q W R E F X I H D Z U F
B N D U B I C W Z B I B U N N I E N X T
O Z W L L L P H I L X L C B N W Q K D I
I H D O E X D R C T N O S G T I B B C U
K T O B B I O X Y R L W G O M F Y N P J
J C L W X P F T A N O S K D N W S Y B G
R L D I B C Q R A I J O F G E T G H O R
P D N C Y Q A T A V G R S P O V C F H T
Z V Q Y V R S H J G U D K E Y V R E F K
H V R E R K Z A J H D H H R V R C Z H Q
B F R L S P T R T L A Q O E J E K X A V
L E T N E Z R R B U G N Q F R U L U O V
O D M I Y Z A I J Z S Z A S F T Q T K U
H L C K A P B S X R O B E T S A E M Q C
S D K C H F R O C O B O O T Z G R A N T
N E S M S Q F N F T O B O Y L F Z S B D
```

ARTHUR	HARDING	MCKINLEY
CLEVELAND	HARRISON	ROOSEVELT
COOLIDGE	HAYES	TAFT
GARFIELD	JOHNSON	WILSON
GRANT	LINCOLN	

Presidents 3

```
M L N G Y I V M U Y U Y H J W T B V N Z
F V I M G B U Y S H Z L S R P P F E S L
Z D F U L Y V O A J D O F O R D I J J H
V F A L D P L R R P Q T O V D S O T S L
Y F Q L S M L T E A L R D G E B L U U F
J C F F J U J Y L K M V E N N E B T Z D
B K G H E R N I Z R E A H T V V R M P W
Z Z K E Y T A Q Z T H O B E R M K X O Z
C Q P I Z V G Z A S W W S O Q A E I Q V
N J Q F S C A H L S W O J E S P C M S N
D Y D T Z S E F E N O Q E B G R S K T C
O U K P U L R R T R K H S N O X I N Y P
W A E N K J N Q C W U P W R G B O K Z K
T C N R E J Q K Y W A J R M Z X U U F X
W A N X P D H K I Y B L O U P S Y P X D
H Q E L N C W N A M U R T H B G Y S P Q
R F D W Q Y Q G V W N L F T N V D D H U
E R Y T X M M R H X R T P D B S M S Y K
R L A A F S C L I N T O N B V N O V Z G
P B B C R P Y A O I K H R J B T C N D J
```

BUSH	JOHNSON	ROOSEVELT
CARTER	KENNEDY	TRUMAN
CLINTON	NIXON	TRUMP
EISENHOWSER	OBAMA	
FORD	REAGAN	

Pronouns

```
R S F R I V N F C E H W M C T W S O S D
N Q E Z K L B Y B Z L B B M Y Z R H N O
H Q W V I G M Q C R Q C A D X Y U B C F
Q T I W E R Y H M U X N O R C R O D E N
O X K K Q R G R K W Y B I B E V Y E J A
M C W P X Q A T N D Y R L I M I Q K Q N
U R E S C G X L R R X Y E F L E S T I O
Y T U I E G J Y E Q D M F B P D B U W T
Y N D M T U V V S G K C F E R G O M H
G Y P K W H E V E A R Q D X A C I X I E
G K M H G O E N T N P S X O C I B L T R
A U L F F G O R A T S Z U B H H D G C G
R A H Q L B U N H O X N Z U U V E Y O Q
U F C Z O E F H W J P X S I X N V R U N
R F H D O T S X V T Q L N K W D L W O K
T Z Y N W M V M S C N H W M Y S E L F M
N F T M G T G O I Z Q N D R Q B P F S D
Z O N M L D M H L H W H O S E O X T P Q
U G W W H X I X N T J S Z K P B R J I H
R E V E H C I H W F G I R P P J Y G W B
```

ANOTHER	MANY	WHATEVER
EACH	MORE	WHICHEVER
EITHER	MOST	WHOSE
EVERYBODY	MYSELF	YOURS
HIMSELF	NOBODY	
ITSELF	SEVERAL	

Railroads

```
R J S E A T X O S E L J T I B L M N U E
A Y E S R Q P B S O R J Y E I Y M O B Y
C K J N G T U O C H Q M D A X Y E D S G
L A B G F F O O C V K E R Z B P R C E C
I F K P F B M U K Q W O E R C V R O T A
A Z Q E A O R Z I S N T N D O U C E H S
R G T C T T A L O G A S O X F N K S X X
M Z G I V U I K M T M M G R I P J U S S
C D V I C N L E M W P R P C E T O C O Z
B E N J W N R W M B X A N I Z M A B U F
O T S X S E O M D X A P S G G T T T C N
Y Z G D T L A Z P W E E G S U J F U S N
F U F M D A D U A F K G N B E A N M W L
H T E G A I R R A C U T A T F N B L P I
P H I F L M M G B E L N P G F X G W B A
B C A O M E S I P K P M G S G G K E C R
E F I R S T C L A S S V N U U O F R E
H X T Y J R A X A S N I A R T B L L N D
L D V Z C X E S E D S P G C M O I E Q K
W H P O H H S T E E L S Q I M Y P X I A
```

BUFFET	FIRST CLASS	RAILCAR	TRAINS
CABOOSE	LOCOMOTIVE	RAILROAD	TUNNEL
CARRIAGE	LUGGAGE	SEAT	
DERAIL	MONORAIL	STATION	
EXPRESS	PASSENGER	STEEL	

Red Carpet

```
F W V R V X F K P Q J V Q U A R C Z D W
R R K S V Z F N O I S I V E L E T H A X
W E T F W I L Q B K Z R L P J B A U A L
Q G O L D E N G L O B E I O A R E D B J
J V B A E E V T M A W A R D Y H N O B A
L G O W N M O K S J F V W M A B T I Q Y
H N K F R C M A W O G R M D Z J E D S Z
J O V B I V T Y Y D H A L I B Z R O P T
Z I V N O N U V H V R S S S T Z T L E M
W T Y K T R B Z U G X E L U X G A R E V
Z A A O B N W H F H I N X J X E I L C X
O N E D G G C O T U E I D A L N Z H X
X I M I I N H H I L D S R Y L K M H K D
P M Y N O T I R G O L E Y M X F E U K C
F O B R C W B R E K S Y O A L Y N T Y N
X N O K X E M R A S M K W S U H T T A P
W O U R L T I L C E F Y L O C Y E J V D
J T O E W I L V I E W C O B O A W B F X
Q R C T Z U Y U M K B V V U B D R V Z S
J W L R Z S M O R D A E D F O B F S I W
```

AWARD	GOLDEN GLOBE	NOMINATION	TONY
CELEBRITIES	GOWN	OSCARS	TUXEDO
DRESS	GRAMMY	SPEECH	WEARING
EMMY	HOLLYWOOD	SUIT	
ENTERTAINMENT	HOST	TELEVISION	

Rocks

```
X V O Z Z Y T Z A I M K N W J Y S F Y R
I Z P M B N K S S U I F F M F W P P R E
Q X P J Q A V H R A U E P Y A A R E M G
N D I A O I U W V I D M Z M H U B B A H
M Y N M O D L A E R N O P W Y S Z B K V
R M F G J I L C A D Q J V K F K Q L X H
I X A A K S Y R A T N E M I D E S E F Z
J J I M Z B Y V P B M Q F R S M B P Y R
L R A M N O M N X V S E L A O Z E K B D
D V I S Y D M L B G T O N E T A G A S I
F D S N P N I Z A I I D S X Q F Y V W L
H Q U D H E M A T J S M A G N E T I T E
D B Y C J F R A M T G Y S A J V F C G T
I B D T G R M N O O X C Z X S R R D U G
N N Q B I E Y N Z T N V M R K Y C A H R
H U P N H S E X B D C D B E S H P D L A
M G J M R T N L J Z U Y M T G D U A L N
T P B A V L V E X S F C A F D W Q X A I
R S U K X F Q T D E H L K Q S P B C T T
P D A G K A R A T U C U B Y Y G T R J E
```

AGATE
CRYSTAL
DENSITY
DIAMOND

GEM
GRANITE
HEMATITE
JASPER

KARAT
LAVA
MAGMA
MAGNETITE

OBSIDIAN
PEBBLE
SANDSTONE
SEDIMENTARY

School

```
Q D Y M C E M P I E I R E A D I N G P O
P C U R A I S T I Z J X S W G Q M H A G
U J Z B W X T F F P E H Z K P H G A P N
H G L M A J E E M C A C F J Y K I Z E D
U B C D E I L S M L C W T H Y A C V R L
U Y P W N M F M L H N K R W A M P D C K
I R K Y V P O P P T T E I T G P E S L L
H A W J O E A R B R T I M I G C N C I I
E R U W Q S S L I H O B R E N M C I P E
I B J W S D J T G Z N J X A S T I K C U
E I X Y I K C I B O E B E F X N L F C W
M L L Z X R L T A D V X N C P E Q M U H
X X X B E H J R M F X G E Q T M G Q G M
O P K D G Z L X A V S I A L D I G K V Q
X T L I Y M Q U S G H P Z W R R J Q R Y
A O H A X O B G K Z W D T A C E O A M V
F H C N U L E R E H C A E T G P U S X R
P N X N P O W E R P O I N T F X Y T P J
W T B K P E C K N P L M Z D Y E K H H T
F C V K K O Y E C L N A A D B R K K G R
```

ARITHMETIC	HALL PASS	MEMORIZE	PROJECT
EXAM	HIGHLIGHTER	PAPER CLIP	READING
EXPERIMENT	LIBRARY	PENCIL	TEACHER
FOLDER	LUNCH	POWERPOINT	

Science

```
A K K F C A G J W A V X F A E N E R G Y
B W Y H Y R S J S N I O E W H A G K K Y
E E G A L R E T O E J Q F T K Y J G N G
Y A O S X B O I R R I O J R A A Y A F O
P T L I D I T T H O W S M W T M Q P U L
B H O X H U R N A R N W M Z Z A I S C O
Y E O Q L A Q V V V T O I O P P Y L Q T
Y R Z O H V E U O D R E M P L Y X K C N
Y P V Y F Z W W Q K S E C Y Z O J V M O
D E M O T A T Q G S I M S P W A G I J E
G N I M R A W L A B O L G B W D C Y H L
K N Z Z R M F T F Z K D A B O R W L Y A
M K K B C H E M I S T R Y H O B A P P P
B E U W P H C S Z T K F K S B C G D O D
L C I F L O R W K Z L M C I I P W L T Y
S Q R G Q Y A E S A W O O M X S Z W H J
G F B H N I C Y F L P L E L Z V L M E S
V T Y F T W O B J E O H Y F R N H S G
H U F F R X R K J G C N M D E B J N I U
T U O R J J V M Y N R J P W H L H Z S W
```

ASTRONOMY	CHEMISTRY	GLOBAL WARMING	PALEONTOLOGY
ATOM	CLIMATE	HYPOTHESIS	SEISMOLOGY
BIOLOGY	ENERGY	MICROSCOPE	WEATHER
CHEMICAL	EVOLUTION	OBSERVATORY	ZOOLOGY

Shoes

```
X M F B R N C K S H R S C Y R J O L D G
Q K Q H P O H T J G K O X K E C D E W Y
N C H E W A D O O E G V B E E L G Q F V
Y V B P L K I K T M U U T H B H L K E D
F M U Z U G N C U T Q N H Z O X F I C O
A D I D A S H J M I Q R S N K W K T N G
X G X A Y E R T O V E N B V R T Y H A T
I D M E R A J O K R A D G R X U V U L B
E I B S M H U E W D Z R Y N S R E A B B
M C T U J F V M R H T N L C I A H L B X
X L P S E I T O F Q T S V I X O Y L W T
G A N N D J H X V Y W J L F W Z L E K
K G M X S E P E A S N I U E E K I N N M
Q K G R L K A N I J S S Y L E E H J W F
A B Z P I D S K P P C G M O A Y N W R E
A C Q M X A X C E D L C U A P Q F L X D
N T C K K R H J Z R O P Y C D F U B K H
U L N I R N L G Z D S A Y S C Y W X J D
G B O O T S Q H S H T X T S C I K O T R
N A A S B L O M E L N N B J V S G J S S
```

ADIDAS   HEELYS   NIKE   SNEAKERS
AIRMAX   JORDANS   PUMA   UGGS
BOOTS   KITH   REEBOK   VANS
GUCCI   NEW BALANCE   SKETCHERS

Snacks

```
S U D M M S G G N S L E Z T E R P P Y X
L I J P B R Y O E I S B J G R D J H P J
N O Y S N Y C W L M C V P Z G B F M J U
L W I K O G O B O D B F A Q J U X K R Z
Q Z M G R A I O X O F D G R H D O X V S
P Z F N O E T T M N F I I S W J Q G O E
S D T D D H J R I I G O S K D S X T Q I
S C L I I L X U D M A D Y H U F I C S P
X N V E Z R A G G D E H Z Z X R H A G W
B U C O D E Z O S W C V K W O P I B K I
O Z F Q P P E Y J Y U V P D Q V G Y L F
L I O W O V G H K E A R O H B J C S Q W
K S E I K O O C C C S Q P K F H N Y J P
F R U I T G P N S A E L C C E D Y G D U
F A H D T U Y T E G L W O R H L G N C E
Y Y G N G K U Z P X P X R M G E O T J J
Z A A J P N X I J H P Y N C M P E U H Y
E J E R A Q T C A R A N Z P J O S T K G
Y S W E W Q P I R A T E S B O O T Y O L
L H P T N E Q V A B P O D R A U M N B S
```

APPLESAUCE	DORITOS	PIRATES BOOTY
CHEETOS	FRUIT	POPCORN
CHEEZITZ	GOLDFISH	PRETZELS
CHERRY	JERKY	SMOOTHIE
COOKIES	PEANUTS	YOGURT

Sports

```
I M B A X C L Y N N R S C H Y G F N G L
N Q K F Q F C G R U G O S W K B V S U F
D R A O B E R O C S G D W A P E G X Z L
S L L K F O V C S F M B L I L R Y U X Y
T F L H L G H O O P K W I O N D G I R J
A I A N O L C F O J V Y F N Q G P K E O
D K B T G W P L O U M E H K V S C P Z R
I H T Y G O F M B X N X V D F A G D V D
U A O S L W E S A U Q V G T B U Q Z G A
M X O S A M M J R Q Z W B R Z P J Y K N
F L F M Z R T S W N O P E V N G M S G A
Z R L X H E C F M F S T Y Q A N V G E F
F B F A N E B H Q U R P Q S A L A J U A
E I X N B Y P D E A B P A S U C B Z P Q
T X I A D E N Z U R U I T Y E E Z U R M
O S W A N U S Q D R Y I N F Q I R F B A
E W R M O J E A M E C X A K Q X F G H N
S B U K W E K L B S Z C D S X L G F K Q
S U M W P S S M R J B E Q U I P M E N T
T A W V J B O T Y E K C O H I B T M K X
```

ARCHERY	GYMNASTICS	RUGBY
BASEBALL	HOCKEY	SCOREBOARD
BRADY	HOOP	STADIUM
EQUIPMENT	JORDAN	TENNIS
FOOTBALL	QUARTERBACK	
GOLF	ROWING	

St. Patrick's Day

```
A Z S J C I T L E C P L A W S J O M U H
D V K C O R M A H S S Q M H Z Q D J G E
Y L H V D M R W L F C M L C L A C W S B
A L A E H S L I W Y O Z E R I Q Z Y C L
D S R R L S X U V N E T P A W I N R U D
I X E L E Z V A P E I R R M Y R B C N F
L S I S H M F E R Y A R E W G Q K A M P
O U D N T E E N I J J H C X C Y L E P C
H N C D P P O D R N S F H K Q E U U S T
F M R Z U R A S M U I B A P R P J H Q F
L E R Y T G X D A H Y N U I P E U O D I
W F J A Y D D K D I V W N I R I J D M T
J R P Z U M I X A Y L N H A L C C J F M
L J Z M A G I C A L S I I S Z O D E G K
G G N V I T V M F F Q N C K I G L E L D
N F Y L B G V B V K B J L D B R P B M I
R E B X Z L P K X O H Q O Y R M I F W X
Q O Y R X X U E W Z Q K V L G Q X B O R
W Z W F L G H I J C Q U E U H M G O L D
L D F I Y J X Z M B A E R R K F B N H B
```

CELTIC	HOLIDAY	LUCKY	RAINBOW
CLOVER	IRELAND	MAGICAL	SHAMROCK
EMERALD	IRISH	MARCH	ST PADDYS
GOLD	LEPRECHAUN	PATRON	

Star Wars

```
G X A R K L J I A V E C P C T Z O I J H
M K O E X E U C Y K K P H D Z Z X D A H
V S R U M J S D H J H E R V F Q V N L J
T G O A M P L G R B K O Z R D R S E P N
V Y Z Q T X I F J U I Q N P H O Z B J J
K K A A F S I R L D E F P D L S G M K V
V E A B Q O H K E U D D I O L L E H I Z
T N H L Z J Y T I V H J Z X T D T H A Y
A O I I P Y G X A F D E U E E I K O O W
S B W V X K L O I E P E A B F C R M J W
K I D E S H L L O X D T C K X E A A A T
Q V L D U T N S U A B F T R K U Q R K U
A Y Q E Y Y O D A G B Y W L O D I S Z S
K I F R I S O N I Q A M A O U F N A T K
O C D H Q A G H X L Y W R M Q Y I C F T
T S K K M S U X D R Y G V W R Y K U D M
L N K K O J V O M K W S S T A K A L O A
R M T K Z X I P S D F I D N C U N D V W
S O B I W A N I D E J T V I K L A E Y N
E H L V X T W L V L B H U Y M E K O Z W
```

ANAKIN	FORCE	LUCAS	WOOKIEE
DEATH STAR	HAN SOLO	LUKE	YODA
DROID	JEDI	OBI WAN	
EMPIRE	KENOBI	SITH	
EVIL	LEIA	SKYWALKER	

Technology

```
M E M I C R O S O F T M J E P P U U T L
B Z X K Q Q E L P P A W K I S L P L T N
A A Y O G P A G H D G E W G S B O I H W
X S N H C N V L W F J B K T M J M K K U
L C L D L W H W P M A C R O O T Q Z K T
A I G G W Q F R V Z H A A U I I W F F B
T H G E P I J A C P E M D C O N J F J A
F P F R R C D E A R Y H A H O G L Z S T
V A E X B A L T S G C I P S E E V Z E R
C R W Y S L W R H Z G V I C P Z X A D W
J G I P P S O T E N L X Y R Y Q F S G Q
I N B H R I F T F I V E S E K E S Q G W
P T O I R E E Y J O N H A E S U L O Y D
K N A D Q N T Q J O S E F N U K N U I M
E N V B R X L U H V K B Z N X L Y P Q U
L N N E L A D P O P L D J I I X S O G A
H P T L J E I D V R E R M N E L G O O G
X N U A B N T R K A D K E B S Q Y S W Y
I G L H T O O T E U L B W U G M O N X H
U H L A P T O P G M A Z N B L B E U I W
```

APPLE
BANDWIDTH
BLUETOOTH
CELLPHONE
GOOGLE

GRAPHICS
INTERNET
IPAD
IPHONE
LAPTOP

MICROSOFT
ONLINE
ROUTER
SKYPE
SOFTWARE

TABLET
TOUCH SCREEN
WEBCAM

Time

```
F T W O R A C J G S S E K E C O P Y K R
E C F E S Y M B E A E O Z W S X K F S G
N B T B Q A T W A R C C W U Z W P Z P G
V F E R U T U F W H O C O P W B O G L F
A V A K J G V L L B W F B N T I B L Y Y
J E X D R B U Y L S M Y E D D X E S H T
M I N U T E Y D I J V S R B V A X T U D
H Z P A T U H G T B H X J Y P Q Q C K J
O Y B Y Q D V F R P T G Y Y V S A H R R
U Y C R R F D Y E M L L E G G M I R T N
R I T Q P R U J T H I A L N X J N O X Y
U J M H I P A M R U R D F W T R X N N D
B A X Z G Y O G A B K X N S Z G K O S R
P X Z D O I S N U G W E A I P Q B L Z A
F K Z I E G L C Q G F P H U G L K O M T
K T Z N V F J Y S N F S K X E H H G X D
G V P N S N Y V A L G L X L N J T I L C
Z B N S V F H P A D X P E N E A Z C S A
F B A S R B W H W Y R U T N E C M A M U
C A L E N D A R E U H B M K H W V L E B
```

AFTER	CHRONOLOGICAL	HOUR	QUARTER TILL
BEFORE	DAYLIGHT	LEAP YEAR	SECOND
CALENDAR	FUTURE	MIDNIGHT	TARDY
CENTURY	HALF PAST	MINUTE	

Movies

```
X S U V U O D H A W X C P H L D E F G F
D U G Y N J F S T E H H S S I D O E V Q
H L I L K Q P Z N S I A O B O L I F P T
S L D O T L S I I L T E S G H V T T F H
Q Y K K A S L Y A S M M P H S O K L C E
P A G S J H E D O M U O I L B J A E B T
U N H G C Z E P P M U G T S E R R O F E
S H B N X L E I M F R I C K J Y K D E R
S T U P P H F W S K C Y V L U M O K L M
E P H H T L V J T O P F R H D H D B R I
R K I E C A P T A I N P H I L L I P S N
P A S Y G Z X V M F I Y Y N C K R A C A
X I F I A R R Y O I P H R P L N N C Z L
E F I W B W E C A R S B L O C N P A W D
R W Y A J I A E F U X Q Z J T Y G H Y F
A R K S T Z G T N C O B X I T S S T F O
L R Z Z S P C K S M N S L D V L Y I U W
O X T W P I M V U A I R A X B X L O M I
P A S Z S L N J U G C L Z P G G O T T L
D D U N E M S Y A O V F E W H P D G L U
```

BIG	FORREST GUMP	PUNCHLINE	THE POST
CAPTAIN PHILLIPS	ITHACA	SPLASH	THE TERMINAL
CARS	PHILADELPHIA	SULLY	TOY STORY
CAST AWAY	POLAR EXPRESS	THE GREEN MILE	

Tools

```
E A F J M N Q X D N M V S Z A B L N F O
S D V B K I H W B R B Q N L L Q Z J U J
A P K Z Y G N F L S T T S K L W L H J C
W L L I R D C I R T C E L E B K T R K M
H N I O B L X R B L G F U Q P F O R Y E
O X R O M X E K G R L E Q X G Z Z O F A
R Z O V F L T O I C T E J F A O C H J S
S W V W U G S E V J I U S R K F Z L Y U
E W I R I C W E L Y G F L E P L A C S R
P H I L L I P S S C R E W D R I V E R I
Q U O P K J T B C H J F Y Z S C M K O N
D T L U U G M S W R D O F T C Q H T Z G
Y A M L S L M G J B R T Y A R T Z U R T
B W W W I S L A K T B V D J E W Y J E A
H V V A O R L E L E A L C G D F K G N P
E F M S G K D N Y L F F D C D Q M F P E
E N V G G J E Y X C E I S M A R W L D J
Z U Y I W B R D P K T T N T L T O X F R
V M F J D Z R P L Q P Y A K B W X Q F R
I I Y S C R E W D R I V E R Q K P G N C
```

DRILL	LADDER	PLOW	SAWHORSE
ELECTRIC DRILL	MALLET	PULLEY	SCALPEL
JIGSAW	MEASURING TAPE	RAZOR	SCREWDRIVER
KNIFE	PHILLIPS SCREWDRIVER	RULER	

U.S. States I

```
C S H A Y E U W I E Q N N F T Z D G A W
G H A W A I I G E E I L V S M M C D N V
C Q B F M T G S P A T B M V K L S J I A
S A L R Y I S A D K L Q I Z U O X X L D
V W L W P E S D I E E R E L M U N O O K
C B A A N O X S M G G A L X Q I Z Z R L
K N H N B Y A I I I R U G E Y S G D A L
E R E O N A S N N S V O D Y V I G T C D
N T E S G S M I I P S Y E R M A S X H X
T P E F O C A A W L H I L G L N A R T Q
U J Z U G L G P S P O V P W G A X F R C
C Q R U G Y K V R G Z R I P P O E C O B
K I T Q O K L A H O M A A A I M T L N S
Y A I N I G R I V T S E W C G L F O A M
A P F W L X A D I R O L F K H I V S J W
G W V Z E B V B O W M Y A U F T N E R J
Q Z V A O M U X Q M Q K G H S A U Z M V
B Y Z J H E S E B Q G C V O K F X O E L
W B L W R K S C W J F F Z R T U B Y S J
V D I N E P S Y Q R G V A S U Y N V M J
```

ALABAMA	HAWAII	MISSOURI	TENNESSEE
ARKANSAS	KENTUCKY	NORTH CAROLINA	TEXAS
FLORIDA	LOUISIANA	OKLAHOMA	VIRGINIA
GEORGIA	MISSISSIPPI	SOUTH CAROLINA	WEST VIRGINIA

U.S. States 2

```
Z K A D I S O M F F I Q X N C P I Q B R
J B P V A V A Z A H N Y N G E M J E H V
S I O N I L L I J R V O Y Q A Q V T J Z
S N E W J E R S E Y Y L F S K X N C D G
K S B P J U O T A J O L S Y A R C O O V
N U F A F F L P G R K A A L G E J N J H
D A V N S X F G K B C L A N R T V N E Q
K D F I M A I N E H H S Y I D K I E X K
X Y I L J I Y C U M K H H H Z K R C E H
N H O P A H Z S H A M S V D E R A T H T
A A B H Z N E X Z M P Q B N A O F I E Z
F O G A I T A T G M O P H A L Y H C V Z
U U C I T O T I A X H K Y L T W L U D K
V A O S H N E H D L U Z R S Y E R T E J
M G M D O C W A X N Q D R I A N Q D L Q
G X I M Z E I W Q N I P Z E D F Z J A B
A X R N P S M S L K P I D B O O U W L
K E F E Y R Y D G I A P X O Y C R J A U
V A I N A V L Y S N N E P H J Z N U R W
R F X D B X S J E J O T S R X Y A X E U
```

ALASKA	INDIANA	MICHIGAN	OHIO
CONNECTICUT	MAINE	NEW HAMPSHIRE	PENNSYLVANIA
DELAWARE	MARYLAND	NEW JERSEY	RHODE ISLAND
ILLINOIS	MASSACHUSETTS	NEW YORK	VERMONT

U.S. States 3

```
K H A I N R O F I L A C W C T O A R L I
U M U K M I N N E S O T A B E H J J M I
L T L M E G A N A T N O M J A R M U V K
A X D W X P N P F T E T R Q R M T C P T
I O Y Z O B W I R Y H Y W I Z X C C E G
E L Q H K B I A M S X I K Y F O Z O F B
Z K Q W P W L G E O S D P X O V K L O K
B N A L T J A D C C Y M F G F C F O C H
Z E S T X X V S O K Q W B G O D U R I T
G B O V O Q E N H H F A E X C A M A X M
Y R L I H K S D M I T Y P N D X X D E S
H A N P U I A A W O N B E A J G Y O M A
T S Z W N O H D K E Z G V U K T W C W S
X K N F H K R A H B A E T D D X X V E N
E A T Z P T D E I T N W I O U W U T N A
N L Y D P H B D G W U H O X N M W O T K
D U F S T K A G D O S O R I M K D F E D
Q L N R G H O N Z Y N W S G O W O B S J
L R O C O A R I Z O N A T G E T D A W M
C N O P R Q B K H A T U I M O T P F O F
```

ARIZONA	KANSAS	NEW MEXICO	WASHINGTON
CALIFORNIA	MINNESOTA	NORTH DAKOTA	WISCONSIN
COLORADO	MONTANA	OREGON	WYOMING
IDAHO	NEBRASKA	SOUTH DAKOTA	
IOWA	NEVADA	UTAH	

Valentine's Day

```
Q I X C H W R N W A O I O L M B Q C E F
X R S D R A C E D Q T X T O V G D M T Y
Q A Z A D E M R A H C O S V Z O H W A E
Z S U M F A K H G I L B U E T O O P L B
T L F O U R T E E N T H O T Y Y N W O J
R U G B C S L G D L E E L E M T H N C D
K A U U K T I N H F X U M U Z M U O O K
P O P Z E M E J M X T V A P V Y E M H U
W I J T Z I X X H T D F Q E X F G G C S
D H A H R M J Y B B Q I L H V L F D A O
S D E F U U Z Z B D Q F W M H O U G L I
G O Y A W G H O O Q N K K X V W P E P B
S O C O R O B M N F F E O G E E C J X A
B U W M L T N W I L D E I A A R K B V Q
I Y N I Z S L F S T S N B R E S M B Y I
S T D D E T E H R L T E J R F L Y R H T
R A R J E C M S F Q T K X B U L Z P Q C
Y A A E H U L U L P E T Y M X A R A D D
P J C T L L J R I U K K U I F G R I L V
J J C P Y X W C D I N N E R V Z A Y G D
```

BOYFRIEND	CRUSH	FEBRUARY	HEART
CARD	CUPID	FLOWERS	HOLIDAY
CHARMED	DATE	FOURTEENTH	LOVE
CHOCOLATE	DINNER	GIRLFRIEND	

Vegetables

```
B Q L O R R B Y J O D T O R R A C R J D
W G B Q I E P J X T P Y Q N M F Y K V Q
R N N Z S L W K V B O S C D B E E F I O
X O X A R A U O Z P T X C J V H A I Z C
P I V T E Z T E L E U L S E D E A P N H
R N X K P U G P E F B M C A N S D L Q L
R O K B P G O B Y L I U P G F G I E O K
T W B J E S Z T A T T L S K Q O Z M T D
K C S P P U B N M T Y M U N I T Z Q S S
Z Z E Y N Z H Y E Q H H T A A N H W R Z
M A X R E T S L V L V S O J C E Q M U K
S Y Y R E R Q J P R F L X H W O B C N C
Z I C V R S U T I L O C C O R B C W P R
G B S A G N A Q A Q S U P H J H Z V X Z
W C P I A V S W Z K B X B O I K D G P J
V Z I Q A U H N Q A X N E N T I E M H V
E Q N N R J O L U V S K I F P A X F H F
J X A C U W S G G R D I U M I E T D F M
G M C W E M U S H R O O M N L P Z O M W
Y X H R I Q V K N V V R C T O M A T O T
```

BEANS	CAULIFLOWER	ONION	SPINACH
BEETS	GREEN PEPPERS	PEAS	SQUASH
BROCCOLI	LETTUCE	POTATO	TOMATO
CARROT	MUSHROOM	PUMPKIN	ZUCCHINI

What to Wear

```
S K C A L S X D Q B V W O L O P K J B Z
F M D J N U N X Y L T A W K C W T C T C
X A L I A B S J Y A N R M A G N A V F S
Y G Q X S C E B L Z O X R F H S T N D J
M S D U E G K H B E J D F U Q L Y R D U
R E V B L C R E L R I Y P C J L I Z R M
P T T K P N D L T G G O P K B A U C J P
T W P N E Y X V A S L S V I L R I I U S
R J Z B X V K N T S O T F X B E E D U U
G J O P S B X N I C U J V X N V I I I I
V R H P L G A P K I H N C R C O D I L T
J X U D F P N S H E D J G O A O O Q T Q
U I P S A D W I F N Q U A L F W O J G V
Z T Z G E N T J G F T T J C A M H R H H
N P O K X V X W G M K D X Q S B P N R
Q Y M D Z S O O M S E E B D Y Z S K X A
C S M T T Y G L H S D L M F P S R E A A
Y L W W P U Q T G C N J G I V W F J S Q
Q L B R I E F S F E A Y R T P L Z V R I
S T H S N T W V M E U E P T U R B A N C
```

BLAZER	HOODIE	POLO	TURBAN
BRIEFS	JACKET	ROBE	YOGA PANTS
CARDIGAN	JUMPSUIT	SLACKS	
COAT	LEGGINGS	SOCKS	
GLOVES	OVERALLS	SUNGLASSES	

World War II

```
L W U W L V C C I M O T A Y O T M W C S
D F Z F R G D B G G W E V M S N D N G M
Q M A Z S H Z N S V E Q I U Q F J C V A
E R E W O H N E S I E O A K S C L C D G
V H Z U Q B X U Z U C C E J S X Y K O I
W C V Y C A J R I R O T N Z Q M G E W S
R L C B F W W J W L F E A H A C X S I U
A H L X Z E Z E O A J T P T R K H F A H
R R A K E B N H J V A I A R O X I M G E
O L O L E N T X O M J W J U B R G M F O
G A Y R T G G X N C J D U M R P M E A O
A L L I E S A L N T Y Q F A A E Q U V K
G I Q R C S A N A I K W E N H U A B V W
N T P U W T R X I N L U Z G L K T H A Y
O M L Y X L L B I M D A E P R T J P T B
G Y G E R M A N Y S T N T R A P B R G G
K O D Q C C M R T N E O B S E J J N Q N
S F K M S V L P G R B G B Y P W O A E R
Z B C Q W N N L A Y Q W W A J V F Z A S
A O Q J P D A L Z V Q A H X J K T I P E
```

ALLIES   ENGLAND   KAMIKAZE
ATOMIC   GENERAL   NAZI
AXIS   GERMANY   PEARL HARBOR
BERLIN   HOLOCAUST   STALIN
EISENHOWER   JAPAN   TRUMAN

Works of Art

```
G H E V F J T A F H A C I N R E U G S N
G L P Z Z Y N E R L L E A H P A R W B W
S E O V X X O D N R G H U W F E I L C J
K V U O J Q P Q J O E W V V P B H U D C
W O W F H I S D I S M P G I G X E L A F
A T R R N F F T G O Z W P B G X E M E C
H O G I Y M Y O G R F M X U J K P K S O
T M I C H E L A N G E L O B S B P Y J C
H F Z J I O V D A V I D Z F E T B L F S
G Z T W N Q X E X L H T O L E W S L E T
I B P Z P V R R N Z V S L A T I Z A I A
N E R D J A M F M U S S E T C K P F L R
E Z E Y E N T H Z A S A T R Q R S B E R
D N P G H G W O C O S D K H D L F Y J Y
S U P O E O U I U I D A E A I J Y N Z N
F E O M V G P P L I H V V M P N G J X I
B L H X Y H C A O U L I N O I L K B Q G
L S E N D C N M C N N C C P L L G E Y H
Y Y B M U O D M I C R F T N S A O Q R T
Q R D Y M A Y H I U H T F D V C A M U F
```

CAMPBELL'S SOUP   MICHELANGELO   STARRY NIGHT

DA VINCI   MONA LISA   THINKER

DAVID   MONET   VAN GOGH

GUERNICA   NIGHTHAWKS   VENUS DE MILO

HOPPER   PICASSO

LAST SUPPER   RAPHAEL

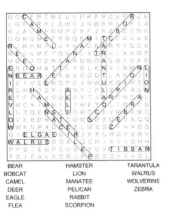
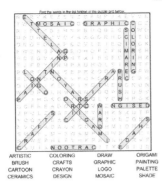
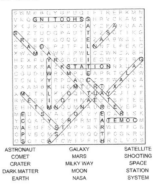
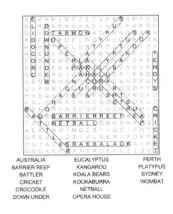

BEAR	HAMSTER	TARANTULA
BOBCAT	LION	WALRUS
CAMEL	MANATEE	WOLVERINE
DEER	PELICAN	ZEBRA
EAGLE	RABBIT	
FLEA	SCORPION	

ARTISTIC	COLORING	DRAW	ORIGAMI
BRUSH	CRAFTS	GRAPHIC	PAINTING
CARTOON	CRAYON	LOGO	PALETTE
CERAMICS	DESIGN	MOSAIC	SHADE

ASTRONAUT	GALAXY	SATELLITE
COMET	MARS	SHOOTING
CRATER	MILKY WAY	SPACE
DARK MATTER	MOON	STATION
EARTH	NASA	SYSTEM

AUSTRALIA	EUCALYPTUS	PERTH
BARRIER REEF	KANGAROO	PLATYPUS
BATTLER	KOALA BEARS	SYDNEY
CRICKET	KOOKABURRA	WOMBAT
CROCODILE	NETBALL	
DOWN UNDER	OPERA HOUSE	

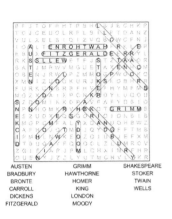
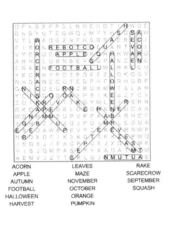
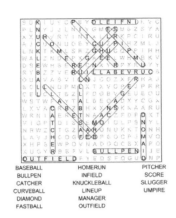
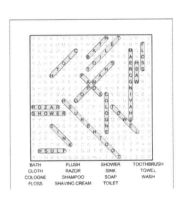

AUSTEN	GRIMM	SHAKESPEARE
BRADBURY	HAWTHORNE	STOKER
BRONTE	HOMER	TWAIN
CARROLL	KING	WELLS
DICKENS	LONDON	
FITZGERALD	MOODY	

ACORN	LEAVES	RAKE
APPLE	MAZE	SCARECROW
AUTUMN	NOVEMBER	SEPTEMBER
FOOTBALL	OCTOBER	SQUASH
HALLOWEEN	ORANGE	
HARVEST	PUMPKIN	

BASEBALL	HOMERUN	PITCHER
BULLPEN	INFIELD	SCORE
CATCHER	KNUCKLEBALL	SLUGGER
CURVEBALL	LINEUP	UMPIRE
DIAMOND	MANAGER	
FASTBALL	OUTFIELD	

BATH	FLUSH	SHOWER	TOOTHBRUSH
CLOTH	RAZOR	SINK	TOWEL
COLOGNE	SHAMPOO	SOAP	WASH
FLOSS	SHAVING CREAM	TOILET	

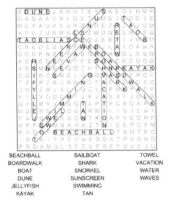
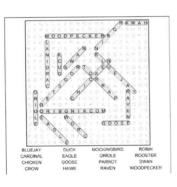
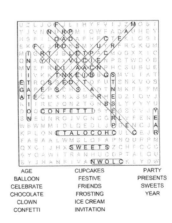
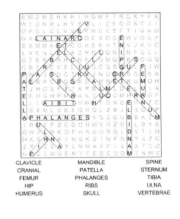

BEACHBALL	SAILBOAT	TOWEL
BOARDWALK	SHARK	VACATION
BOAT	SNORKEL	WATER
DUNE	SUNSCREEN	WAVES
JELLYFISH	SWIMMING	
KAYAK	TAN	

BLUEJAY	DUCK	MOCKINGBIRD	ROBIN
CARDINAL	EAGLE	ORIOLE	ROOSTER
CHICKEN	GOOSE	PARROT	SWAN
CROW	HAWK	RAVEN	WOODPECKER

AGE	CUPCAKES	PARTY
BALLOON	FESTIVE	PRESENTS
CELEBRATE	FRIENDS	SWEETS
CHOCOLATE	FROSTING	YEAR
CLOWN	ICE CREAM	
CONFETTI	INVITATION	

CLAVICLE	MANDIBLE	SPINE
CRANIAL	PATELLA	STERNUM
FEMUR	PHALANGES	TIBIA
HIP	RIBS	ULNA
HUMERUS	SKULL	VERTEBRAE

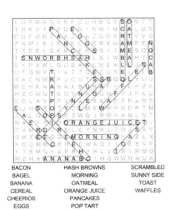
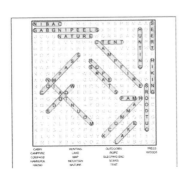
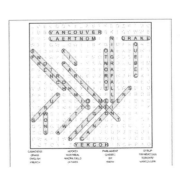
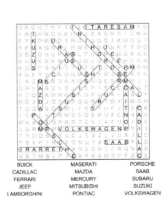

BACON	HASH BROWNS	SCRAMBLED
BAGEL	MORNING	SUNNY SIDE
BANANA	OATMEAL	TOAST
CEREAL	ORANGE JUICE	WAFFLES
CHEERIOS	PANCAKES	
EGGS	POP TART	

CABIN	HUNTING	OUTDOORS	TREES
CAMPFIRE	LAKE	ROPE	WOODS
COMPASS	MAP	SLEEPING BAG	
HAMMOCK	MOUNTAINS	STAIRS	
HIKING	NATURE	TENT	

CANADIANS	HOCKEY	PARLIAMENT	SYRUP
DRAKE	MONTREAL	QUEBEC	TORONTO
ENGLISH	NIAGARA FALLS	SKI	VANCOUVER
FRENCH	OTTAWA		

BUICK	MASERATI	PORSCHE
CADILLAC	MAZDA	SAAB
FERRARI	MERCURY	SUBARU
JEEP	MITSUBISHI	SUZUKI
LAMBORGHINI	PONTIAC	VOLKSWAGEN

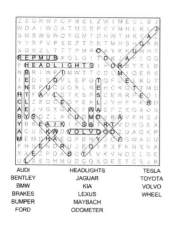

AUDI HEADLIGHTS TESLA
BENTLEY JAGUAR TOYOTA
BMW KIA VOLVO
BRAKES LEXUS WHEEL
BUMPER MAYBACH
FORD ODOMETER

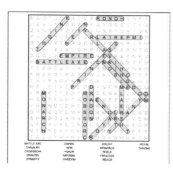

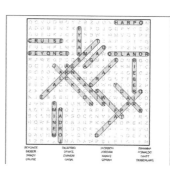

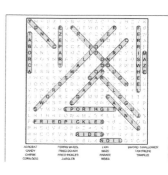

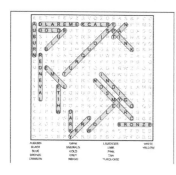

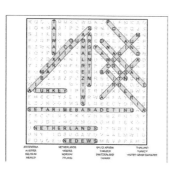

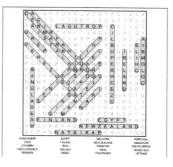

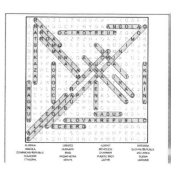

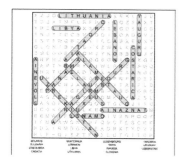

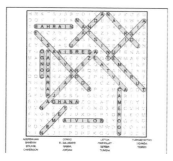

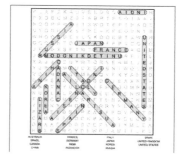

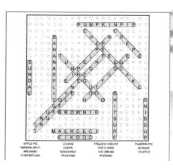

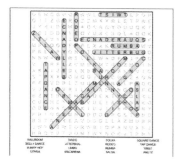

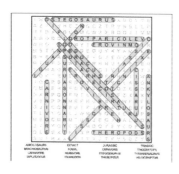

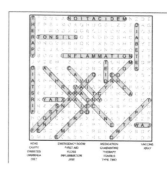

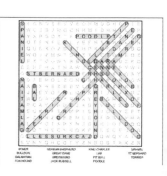

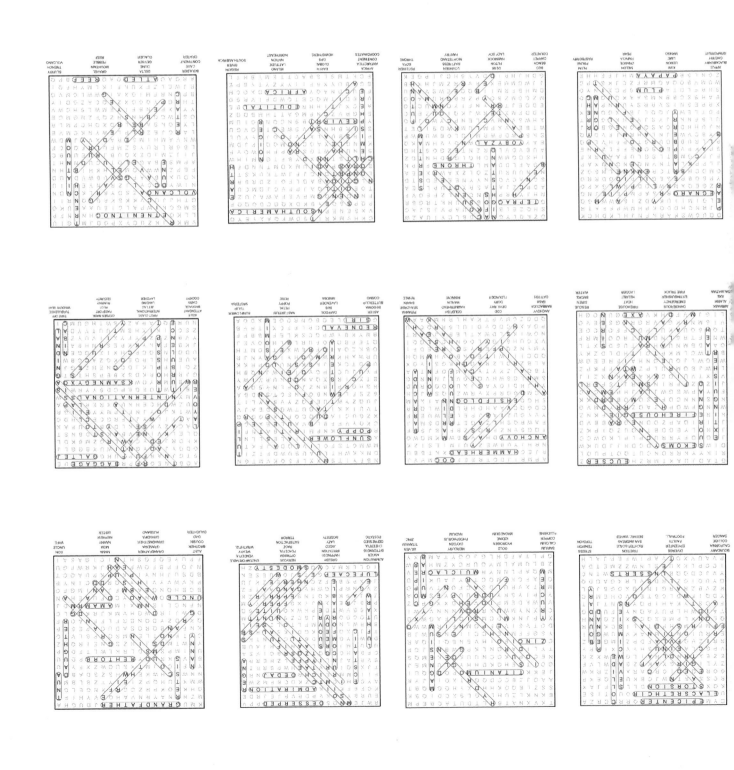

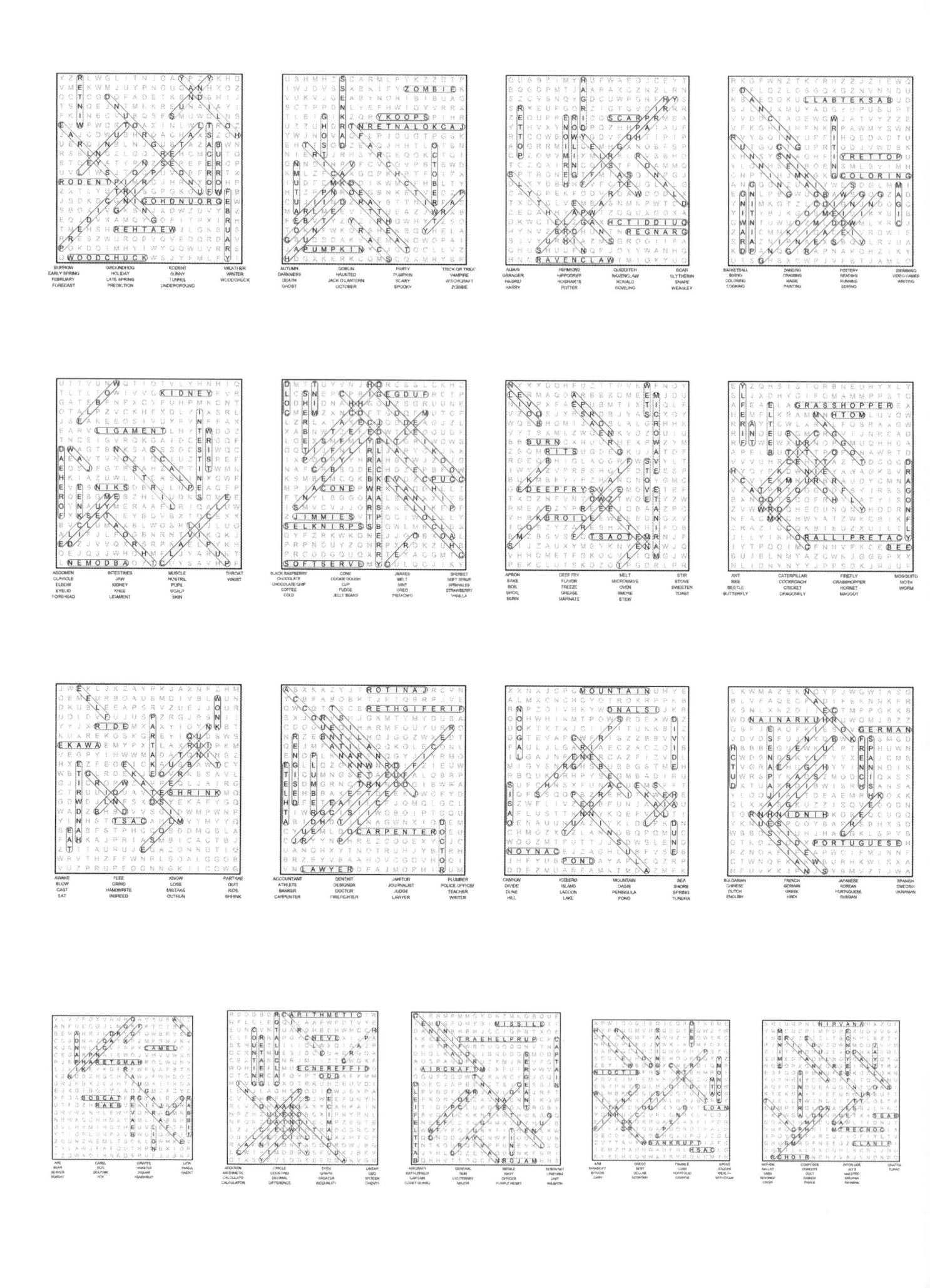

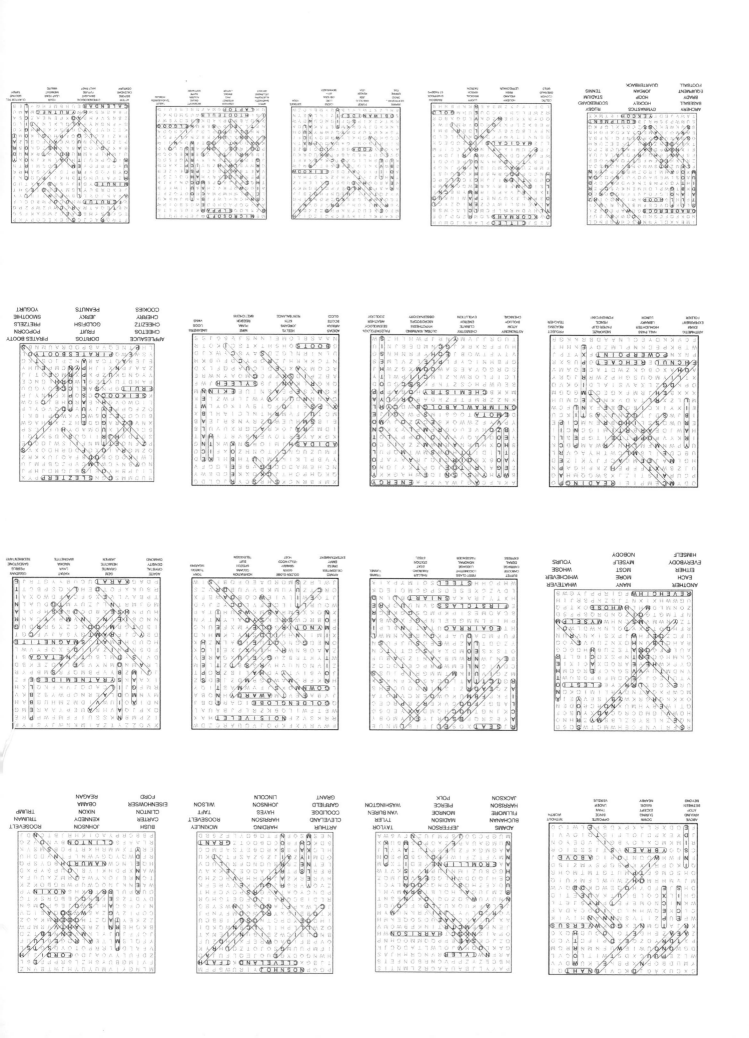

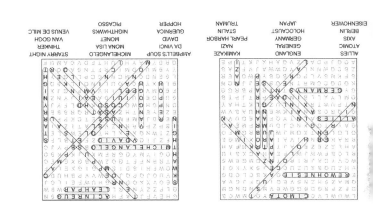

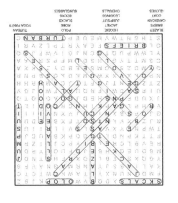

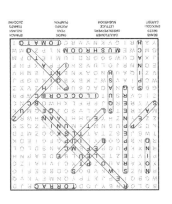

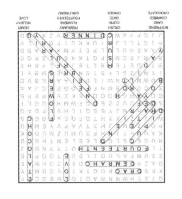

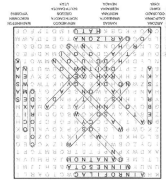

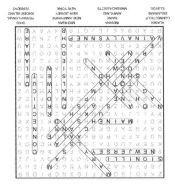

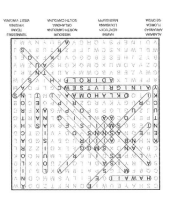

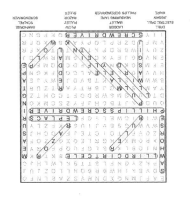

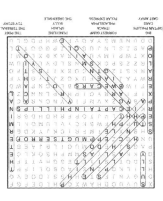

65349535R00066